LÀ OÙ LA MER COMMENCE

DU MÊME AUTEUR

Le Pari, éditions Québec Amérique, 1999
(en France : France Loisirs, 2000)

Marie-Tempête, éditions Québec Amérique, 1997
(en France : *Un hiver de tourmente*,
France Loisirs, 1998)

Maïna, éditions Québec Amérique, 1997

DOMINIQUE DEMERS

LÀ OÙ LA MER COMMENCE

Roman

ROBERT LAFFONT

Imprimé au Canada

À mon amie Danielle Vaillancourt.
Et à la Bête, où qu'elle soit.

« La Belle ne put s'empêcher de frémir en voyant cette horrible figure. »

Mme LEPRINCE DE BEAUMONT, *La Belle et la Bête*, 1757

Note : Ce lieu extraordinaire existe vraiment. La toponymie a été respectée dans la plupart des cas, l'auteur s'étant toutefois permis de transformer quelques noms de lieux pour les besoins du roman.

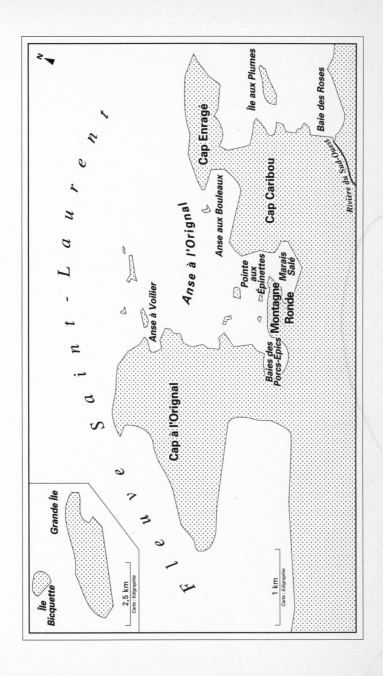

Île Bicquette

Grande île

2,5 km
Carte : Edigraphie

Fleuve Saint-Laurent

Cap à l'Orignal

Anse à Voilier

Anse à l'Orignal

Anse aux Bouleaux

Cap Enragé

Île aux Plumes

Baie des Roses

Cap Caribou

Pointe aux Épinettes

Marais Salé

Montagne Ronde

Baies des Porcs-Épics

Rivière du Sud-Ouest

1 km
Carte : Edigraphie

N

J'avais seize ans, j'étais amoureuse et je voulais mourir. Ma grand-mère Florence avait recueilli mes confidences et essuyé mes larmes, sans se moquer, sans juger, en hochant simplement la tête, son regard gris-bleu planté dans le mien comme une ancre m'empêchant de dériver. Les semaines avaient passé, mais pas la douleur. Un matin, plus exactement le 12 mai 1901, mamie Florence m'avait tendu un billet de train.

– Tiens, Marie. C'est de Maybel, ta marraine. Elle voudrait te connaître.

Je n'avais jamais rencontré ma marraine. Elle habitait quelque part au Québec, bien loin de nos prairies manitobaines. Un certain mystère l'entourait. Maman m'avait plus d'une fois raconté qu'à ma naissance mamie Florence avait poussé des cris de ravissement parce que j'avais, disait-elle, les mêmes yeux que Maybel, sa meilleure amie.

– C'est insensé, avait répliqué maman. Comment peux-tu affirmer qu'un nouveau-né a les mêmes yeux que cette Maybel que tu as connue si peu longtemps et il y a tant d'années ? Et puis, les yeux d'un bébé, ça change...

Les miens, pourtant, étaient restés pareils et mamie Florence avait continué de me comparer à Maybel, cette vieille amie à qui elle écrivait chaque semaine depuis plus d'un demi-siècle, alors qu'elle avait quitté Sainte-Cécile, dans les replis du Saint-Laurent, pour s'installer avec son jeune époux à Saint-Vital, au Manitoba.

— La petite a son énergie, sa pétillance, répétait Florence. Et ses yeux sont restés mauves ! Je l'avais prédit.

Maman avait finalement suggéré, pour faire plaisir à sa mère, que cette lointaine Maybel devienne ma marraine. C'était une bien mince concession si l'on songe à tout ce que Florence avait enduré pour que sa petite famille grandisse heureuse sous le ciel immense des prairies alors même que son cœur était resté accroché aux rives du Saint-Laurent.

Maybel apprit par courrier qu'elle héritait d'une filleule. Elle en fut, paraît-il, très émue. Le train m'apporta souvent de petits présents, acheminant en retour quelques dessins, puis des mots gentils. Mais les enfants se lassent vite des relations épistolaires. Ma marraine finit donc par occuper bien peu de place dans ma vie. Elle, par contre, savait tout de moi, grâce aux lettres de Florence.

Et puis, un jour, à seize ans, j'étais partie à sa rencontre. Ma déception amoureuse m'avait plongée dans un tel état d'hébétude que je fus étonnamment docile. À peine m'étais-je arrêtée au but du voyage. À la gare, mamie Florence me remit un paquet.

– Un brin de lecture, pour que la route paraisse moins longue, avait-elle lancé, comme si de rien n'était, alors même que son regard tentait de m'avertir que ce colis était précieux.

Le paquet contenait un cahier. Il resta posé sur mes genoux pendant des heures. Les paysages défilaient sans que je les voie. Un peu avant le début des Grands Lacs, le train avait fait un arrêt. Alors qu'il repartait, des passagers avaient traversé le couloir. Un homme s'était penché vers moi.

Ses cheveux, sa carrure, sa voix... Mon cri dut l'effrayer. Je ne sus jamais ce qu'il avait demandé. Il ressemblait trop au jeune instituteur qui m'avait mis le cœur en charpie. J'aurais voulu courir dans les bras de Florence, enfouir mon visage dans la chaleur de son cou et pleurer, encore et encore.

Mais Florence était déjà loin, alors j'ai ouvert le cahier...

Le cahier de Florence

Il y a déjà très longtemps, j'ai vécu d'uniques saisons là où le fleuve devient mer. C'est dans ce pays de pics somptueux et de caps battus par une mer enragée, dans ce royaume d'islets révélés par la marée, d'anses secrètes, de marais grouillant de chevreuils et de petites baies envahies par le tumulte des goélands et les hurlements des loups-marins que l'histoire de Maybel prend racine. Il me semble, encore aujourd'hui, qu'elle n'aurait pu s'épanouir ailleurs que dans ce paysage étrange et fabuleux, hanté par les fantômes, mais protégé par les fées.

J'avais dix-sept ans. Nous avions quitté la grande ville de Québec pour nous installer dans la petite paroisse de Sainte-Cécile où papa avait obtenu le poste d'agent de la compagnie Price. Il était en charge du moulin à scie fraîchement construit et du magasin attenant. Maman, mes frères, mes sœurs et moi étions un peu inquiets de ce que serait notre vie dans ce coin perdu. Or, dès notre arrivée, le paysage nous avait séduits. Peu après, nous avons

19

découvert que les quelques humains éparpillés sur ce littoral déchiré étaient eux aussi bien peu ordinaires.

Je m'occupais du magasin, comme tous les après-midi, lorsque Maybel y entra pour la première fois. Nous avions eu peu de clients ce jour-là. Après plusieurs journées de redoux, le ciel s'était encoléré à nouveau, si bien que les gens hésitaient à se déplacer.

– Une tempête de corneilles ! m'avait expliqué Isaac Turcotte, le charron. Il faut bien en endurer une ou deux avant que l'hiver déguerpisse pour de bon. Mais y a pas d'inquiétude. Les corneilles sont de retour. Le mauvais temps n'a plus de prise. Le printemps est tout proche.

Ma nouvelle cliente avait dû longtemps marcher. Ses longs cheveux mouillés frisottaient sur ses épaules, son vieux manteau de laine sentait la neige fondante et ses pas laissaient des traces de boue. Pourtant, c'est ce qui m'a frappée tout de suite, elle avançait comme une reine, sûre d'elle et sereine. Je me souviens aussi qu'elle touchait à tout, ce qu'aucun autre client n'aurait osé faire. Elle était petite et frêle et, pourtant, elle envahissait l'espace. Son pas était énergique, ses gestes amples. Lorsqu'elle m'aperçut, un immense sourire éclaira son visage. Aussitôt, elle fonça vers le comptoir.

– C'est toi, Florence ? s'enquit-elle en promenant sur moi de magnifiques yeux pâles d'une couleur indéfinissable. Mon père m'a dit que tu avais à peu près mon âge. J'avais hâte de te voir, mais

20

Charron : –

je n'ai pas pu venir avant. Ma tante s'est lancée dans toutes sortes de frottages et, comme de raison, j'ai été obligée de l'assister. À mon avis, elle fait ça bien plus pour s'occuper que par grande propreté. C'est parce que mon père va retourner à l'île Bicquette et, elle a beau dire, je sais que ça lui fait quelque chose de le voir partir.

Pendant qu'elle babillait, un autre client était entré. Un grand jeune homme, un de ces pilotes du Saint-Laurent, chargés de conduire les navires jusqu'au port de Québec en se guidant sur les clochers, les rochers et les phares pour éviter les écueils. Il s'appelait François Bouvier et s'il venait souvent, je ne m'en plaignais pas. Lorsque j'eus fini de le servir, je retournai à la jeune visiteuse qui n'avait cessé de nous observer avec une curiosité et un sans-gêne inouïs.

– Que puis-je faire pour vous ? demandai-je un peu sèchement.

C'étaient mes premières paroles. Elle me contempla en silence, visiblement déçue de mon attitude, si bien que j'en eus honte. Mais son regard s'éclaira presque aussitôt, comme si elle lisait à travers moi.

– Tu l'aimes ! déclara-t-elle alors, les yeux pétillants de plaisir.

Instinctivement, je regardai autour de moi pour m'assurer que le magasin était bien vide. J'étais stupéfiée. Un tel culot me semblait inimaginable.

Elle éclata d'un rire franc. Un rire fabuleux. Et quelques secondes plus tard, je riais avec elle. Ce même après-midi, elle m'entraîna à la table tout au fond, là où les vieux venaient jouer aux dames. Elle prit ma main droite, en caressa lentement le dos, puis, les yeux noyés de mystère, tourna ma paume vers le haut et glissa lentement son index sur les lignes de ma main. Lorsqu'elle releva les yeux, j'y lus une telle joie que mon cœur bondit en attendant la suite.

– Il t'aime déjà. C'est écrit. Là ! déclara-t-elle, triomphante.

Son doigt s'était arrêté au milieu de ma paume, là où deux lignes se croisent.

– Tu vas l'épouser. Ce n'est pas écrit... Mais je le sais.

Maybel avait raison. Moins de deux ans plus tard, j'épousais François Bouvier et je partais avec lui pour le Manitoba. Je laissais derrière moi la meilleure amie que le ciel ait pu me donner et j'abandonnais en même temps une jeune femme métamorphosée. Car, dans les mois qui suivirent notre première rencontre, Maybel devint l'héroïne d'une histoire comme on en lit dans les contes de monstres et de fées.

Je savais, avant même cette première rencontre, que Maybel Collin vivait avec son père, Alban, sa tante Béatrice, et l'ancien quêteux, qui à ce qu'on sache n'avait pas de nom, dans une petite ferme de l'anse à Voilier. Eux seuls pouvaient apercevoir, derrière le cap Enragé, le manoir interdit où habitaient Oswald Grant et son fils. L'histoire de la famille de Maybel pouvait étonner, mais celle des Grant était plus troublante encore. Lorsqu'on commença à me parler d'eux, à mon arrivée à Sainte-Cécile, je me souviens d'avoir eu l'impression qu'il s'agissait de personnages inventés. À croire que la marée nourrit les mythes et que c'est dans les battures que poussent les légendes.

C'est un pays farci de légendes. On y racontait que, après avoir inventé les montagnes, le Créateur chargea un ange vêtu d'un long manteau de soie bleu de les distribuer sur toute la Terre. Arrivé à la hauteur de Sainte-Cécile, l'ange était épuisé, mais ses poches étaient encore lourdes. Il les vida donc d'un seul coup. Une colonie de montagnes surgit aussitôt de la mer alors qu'une poignée de grenailles enfantait des îles.

Les gens disaient aussi que les anses et les baies étaient hantées par les fantômes de tous ceux que la mer avait avalés. Et qu'à la pleine lune, les nuits de grande marée, les spectres des disparus dansaient sur la crête des vagues, un flambeau à la main, narguant la mer en poussant des cris à faire frissonner les algues.

L'histoire de la famille de Maybel me semble intimement liée à la mer. Les parents d'Alban étaient les premiers colons à s'installer dans l'anse à Voilier. Ils avaient trimé dur pour faire reculer la forêt, défrichant une terre de bonne qualité, enrichie par la mer et assez grande pour nourrir une famille de onze.

À vingt ans, Alban avait obtenu une commission

de pilote, un statut fort enviable. C'était un homme bon, un grand rêveur, fou d'étoiles, plus enclin à contempler le ciel qu'à surveiller les clochers sur la route d'eau. Pourtant, tous les navires qu'il avait pilotés s'étaient rendus à bon port sans trop de mésaventures. Alban avait une sœur jumelle, Béatrice. Au premier printemps de navigation d'Alban, elle prit mari et s'installa dans l'anse aux Bouleaux. Un an plus tard, son jeune époux périssait sous ses yeux alors que le pont de glace s'effondrait brusquement entre la côte et l'île où ils étaient allés faire provision de bois de chauffage.

Béatrice ne versa pas une larme, ce qui étonna peu, car on sait que les grands drames engourdissent l'âme. Il fallut attendre le dégel pour enterrer le jeune mari. Or, ce jour-là encore, les yeux de Béatrice restèrent secs. Des mauvaises langues suggérèrent alors qu'elle avait elle-même poussé son époux dans les eaux glacées.

Pour survivre, Béatrice ouvrit sa maison aux voyageurs. Ils étaient nombreux dans cette partie de l'estuaire, car la Grande Île, à quelques milles du village, servait de poste aux pilotes du Saint-Laurent. On raconta que des étrangers s'arrêtèrent chez Béatrice une nuit et n'en ressortirent jamais. En peu de temps, la rumeur s'installa pour de bon. La Béatrice avait du sang de sorcière, disait-on. On recommandait aux enfants de se signer en passant derrière sa maison, car elle avait le pouvoir de jeter des sorts. Elle savait aussi dérégler les marées, crever les nuages, déranger les vents et enrager la mer.

Il y eut deux années de disette. À la première, la récolte gela en fin d'été ; à la suivante, elle pourrit sur pied. Les frères et les sœurs d'Alban avaient déjà choisi de s'établir ailleurs. Fatigués par ces épreuves, les parents d'Alban rejoignirent un de leurs fils à Québec. Alban hérita de la ferme, ce qui fit des gorges chaudes au village, car on le disait plus habile à nommer les étoiles qu'à semer le grain et, au temps des récoltes, il s'intéressait davantage à l'éclat des perséides qu'à la hauteur du foin.

Un an après le départ des vieux, un navire venu d'Angleterre s'échoua contre le récif du sud-est, non loin de la Grande Île où les pilotes étaient stationnés. En un rien de temps, canots, chaloupes et goélettes filèrent au secours des passagers. Des dizaines périrent, mais les rescapés furent encore plus nombreux. Les pilotes avaient l'habitude de ces opérations, les écueils devant la Grande Île étant parmi les plus redoutables, malgré le phare de l'île Bicquette, tout près. Il suffisait d'un rien pour être déporté.

Alban était de l'équipe des sauveteurs. Il avait déjà ramené deux hommes lorsque sa lanterne éclaira une forme allongée, flottant sur l'eau. Il eut beau crier en s'approchant, rien ne bougea. Alban hissa dans son embarcation le corps inanimé d'une femme. Elle était jeune et d'une grande beauté. Il pressa ses poumons avec une ardeur fiévreuse, déjà affolé à l'idée qu'elle puisse ne jamais plus respirer.

Une autre barque s'approcha. Des hommes lui crièrent d'arrêter. Il allait la broyer, disaient-ils. C'était insensé.

Devant ces pilotes qui la croyaient morte, la jeune femme toussa et cracha un filet d'eau salée. Alban eut l'impression de renaître. Peu après, ses rames fendaient l'eau à toute allure. Il emmenait sa protégée à l'île Bicquette qui constituait le rivage le plus près. Alban porta la femme jusqu'à la maison du gardien. Il la déshabilla en tremblant, l'enveloppa dans un long manteau de laine et l'étendit près du poêle où il alluma un feu. Des heures plus tard, lorsque le gardien rentra du phare, Alban contemplait sa protégée. Il n'avait jamais été aussi heureux : la femme qu'il avait arrachée à la mer dormait sous ses yeux.

Elle avait quitté l'Angleterre pour occuper un poste de gouvernante chez un riche Anglais à Québec, mais elle ne s'y rendit jamais. En ouvrant les yeux, après s'être battue contre la mer comme une forcenée, elle avait aperçu Alban, penché sur elle, les joues enflammées et le regard ardent. Il était déjà amoureux. Elle crut succomber à son tour. Ce même printemps, ils s'épousèrent et, un an après, la jeune femme donna naissance à une toute petite fille qu'ils nommèrent Maybel. C'était le nom du navire échoué qui avait mené la belle Anglaise à son pilote.

Peu après les épousailles, Alban dut repartir en mer. À la demande de son jumeau, Béatrice réinvestit la maison paternelle. Sans elle, Dieu sait ce que la ferme aurait donné. L'Anglaise ne connaissait rien à la terre ni aux bêtes. Sa santé semblait fragile, son énergie maigre et sa curiosité pour la ferme, nulle. Ce n'était pas tant la grossesse qui l'avait fait déchanter, ni même l'éloignement de son jeune époux, mais le quotidien dans l'anse à Voilier. L'implacable routine des bêtes à nourrir, du feu à entretenir, de l'eau à distribuer du potager à l'étable, des mille détails et des cent petits miracles à accomplir, jour après jour, pour se nourrir, se couvrir et préparer la saison à venir.

À son retour, après la saison de navigation, Alban avait trouvé sa femme alanguie. Elle passa l'hiver à caresser son ventre, comme si elle n'avait pas encore compris que dans ce coin de pays tout ce qui apparaissait sur une table avait été arraché à la terre et tout ce qui gardait chaud avait requis des trésors de patience, d'ingéniosité et d'efforts.

À la fonte des glaces, elle supplia son époux de rester. Alban abandonna sa charge de pilote et tenta de tirer le meilleur de sa terre, mais il n'avait jamais été particulièrement doué et les humeurs de sa femme entamaient son ardeur. Il souffrait de la voir malheureuse. Même les sourires enchantés du bébé n'arrivaient pas à la dérider. Au troisième été, la jeune femme rencontra un riche capitaine anglais au village et elle disparut avec lui. Maybel avait deux ans.

Alban était un homme sage. Il avait déjà compris son erreur. La fuite de sa jeune épouse ne changea rien à ses sentiments. Il aimait sa femme avec autant de ferveur mais plus de résignation. À qui voulait l'entendre, il expliquait sans honte que sa belle Anglaise était de la race des étoiles filantes et des aurores boréales.

— C'est fou de vouloir les posséder. Elles sont nées pour éblouir, c'est un peu leur métier. Il faut l'accepter.

Au village, on ne l'acceptait guère. Les femmes étaient trop heureuses de médire de l'étrangère.

— Une sans-cœur, une traînée. Et comment pensez-vous que la fille va pousser ?

Les hommes avaient envié Alban. En ces jours plus sombres, ils ne firent rien pour l'aider à faire profiter sa terre. Au printemps, après la fuite de sa bien-aimée, l'ex-pilote chassait le bruant avec sa sœur jumelle, la petite accrochée à son dos. Leurs réserves étant épuisées, ils comptaient sur cette petite bête, qu'on appelait aussi l'oiseau de misère, pour se nourrir. C'est alors qu'arriva le Quêteux, avec un gros mois d'avance.

Personne ne connaissait son nom. On l'appelait simplement « le Quêteux » ou encore « l'Arriéré ». C'était un presque géant avec une cervelle d'enfant et un défaut d'élocution suffisamment grave pour qu'il préfère communiquer par gestes. Il pouvait s'acquitter parfaitement de besognes simples et, bien qu'il n'eût jamais appris à lire, il parvenait à remettre entre bonnes mains toutes les lettres et les petits paquets qu'on lui confiait. Parfois, on le surprenait à chiffonner le coin d'une missive pour mieux l'identifier.

28

Ses courts séjours étaient appréciés, car il avait le talent de faire rire. Au premier coup d'œil, il discernait les travers des gens et, à la manière d'un gamin espiègle, il prenait grand plaisir à les copier. Il imitait magnifiquement la démarche chaloupée de Pauline Voyer qui était deux fois plus grosse que son mari et il parvenait à se chiffonner la figure pour ressembler au bedeau, un petit homme fripé, perpétuellement inquiet. Il bombait le torse en se tapotant la bedaine comme le curé et se pinçait les lèvres en faisant l'important pour parodier le notaire. Son imitation de la femme du charron, battant des paupières en avançant son imposante poitrine, déclenchait des hurlements de rire. Pour le reste, on pouvait condamner ses manières.

Le curé faisait des ulcères rien qu'à penser qu'un jour le Quêteux remettrait peut-être les pieds dans son église. Quant aux paroissiens, ils ne demandaient pas mieux. Le Quêteux n'avait assisté qu'une seule fois à la grand-messe. Or, la cérémonie n'avait jamais paru si courte et les remontrances du curé si peu inquiétantes. Le Quêteux avait pété pendant l'homélie et, à la communion, il avait redemandé de l'hostie. Après, il était tombé endormi dans son banc, ronflant comme un ogre digérant son troupeau d'enfants.

Le Quêteux n'était pas futé, mais il pouvait tirer presque autant qu'un bœuf, tenir une poutre à bout de bras et déprendre à lui seul n'importe quelle charrette embourbée. Ce printemps-là, il traversa le village comme de coutume, salué par les moqueries des enfants, livrant au passage quelques lettres et des nouvelles en échange d'un morceau de lard ou d'une rasade de p'tit blanc. Une rare frénésie animait le Quêteux en ce début de printemps. Il refusa plusieurs gîtes, pressé de pousser jusqu'à l'anse à Voilier. Lorsqu'il atteignit la ferme d'Alban, ce dernier suait à grosses gouttes derrière un bœuf paresseux, sa charrue de bois entre les mains. Dans la cuisine, Béatrice ébouillantait des oiseaux de misère en surveillant une minuscule petite fille, si belle qu'on aurait dit une fée.

Il y eut comme un déclic dans l'esprit du Quêteux. Une sorte de vision, claire et nette. Il déposa son baluchon et releva Alban. Jusqu'à la nuit tombée, il poussa la charrue, éventrant la terre avec une vigueur peu commune. Le lendemain, il poursuivit sa tâche, et encore le jour suivant. Puis il aida Alban à réparer la clôture pour que les bêtes ne s'échappent plus. Vint le temps des moutons. Pendant qu'Alban les débarrassait de leur laine, le Quêteux les maintenait au sol d'une poigne si solide que les bêtes ne se débattaient presque plus. Le soir, il mangeait à belles dents tout ce que Béatrice pouvait trouver à mettre dans son assiette, puis il riait comme un enfant en faisant sauter Maybel sur ses genoux.

Alban, Béatrice et le Quêteux finirent par former une famille autour de Maybel et la petite eut le meilleur de chacun. Béatrice lui enseigna à penser pour elle-même et à se tenir droit, à faire fi des rumeurs et à laisser à Dieu le soin de juger les humains. Alban, qui n'avait jamais rien aimé autant que sa petite sauterelle, fit tout en son pouvoir pour que l'absence de sa mère ne jette pas d'ombre sur Maybel. Plus que tout, il voulut lui donner la joie. Le Quêteux comprit instinctivement l'entreprise et s'y employa gaiement.

Mais à Sainte-Cécile, je l'ai découvert peu à peu, la différence était mal tolérée. Alban n'avait rien de méprisable, sa sœur était une femme généreuse et Maybel, comme sa mère, semblait née pour éblouir. Quant au Quêteux, c'était un bon gros géant sans malice. Qu'à cela ne tienne, on leur en voulait de vivre autrement. À croire qu'ils avaient eux-mêmes choisi d'installer leur ferme tout au bout du rivage menant aux falaises du cap à l'Orignal et qu'ils avaient planifié de former cette étrange famille.

On leur en voulait d'oser. Oser rêver comme oser s'insurger. Béatrice ne faisait pas vraiment carême. Elle disait que la vie leur réservait trop de privations pour que le Christ souhaite qu'ils s'en imposent davantage. Quant à Alban, il avait refusé de participer à une levée de fonds du curé pour acheter des statues.

— Je peux pas croire que le petit Jésus aime le plâtre, disait-il. S'il s'ennuie tout seul sur sa croix, derrière l'autel, on n'a qu'à lui percer un trou pour qu'il voie les étoiles.

Et bien sûr, on reprochait à Maybel d'avoir eu pour mère une femme sans honneur, une moins-que-rien, une couraillleuse. La belle Anglaise était

sans doute le plus grave de tous leurs défauts et
Maybel aurait pu en souffrir davantage. Mais déjà,
enfant, elle était d'une beauté saisissante, sans que
cela soit offensant. Le plus souvent mal attifée, sa
longue crinière emmêlée, les joues barbouillées de
boue, elle n'en était que plus éclatante. Elle était
belle d'une manière brute et sauvage, sans mesure,
sans ménagement, sans pudeur, mais aussi sans pré-
tention. Le monde semblait lui appartenir. Cette
joie qu'Alban avait tout fait pour semer en elle
avait fleuri magnifiquement.

Petit à petit Maybel devint Mabelle. On aurait
dit qu'en taisant les consonances anglaises les villageois décidaient un peu gauchement de l'adopter.
Puis on coupa tout lien avec le navire échoué en
l'appelant simplement la Belle, un peu comme une
manière d'admettre, une fois pour toutes, que le
bon Dieu l'avait faite ainsi.

La petite tribu de l'anse à Voilier continua quand
même de meubler les conversations et d'attiser la
légende. On s'amusait des déconvenues d'Alban et
de l'ancien Quêteux qui semaient trop lâche ou
trop serré, engrangeaient trop tôt ou trop tard et
laissaient la Belle les mener par le bout du nez.

Maybel avait douze ans lorsque Oswald Grant
débarqua d'un navire, peu avant que les feuilles
roussissent, et continua en goélette jusqu'au village
où l'accueillit son cousin, Archibald Campbell, qui
était encore seigneur à l'époque. Pour les habitants
de Sainte-Cécile, la visite ne constituait qu'une

agréable diversion. Nul n'aurait pu deviner les frayeurs et les passions que l'Écossais allait allumer.

Le seigneur Campbell avait réussi à se faire aimer. Il avait contribué à l'amélioration du chemin du roi et s'était démené pour que la compagnie Price installe un moulin à scie. C'est en hommage à son épouse que la paroisse avait pris son nom et, depuis, Sainte-Cécile avait grossi et forci rapidement. On ne se méfia donc guère du cousin.

Oswald Grant resta toute une saison. C'était un homme riche, bien plus encore que le seigneur Campbell. Il gérait sans trop d'efforts une fortune familiale colossale, ce qui lui laissait beaucoup de temps pour s'adonner à son unique passe-temps : chasser. L'Écossais pratiquait cette activité de manière obsessive et sauvage. Il avait entrepris ce voyage, abandonnant temporairement sa femme et son fils, après qu'on lui eut vanté les récoltes de gibier en Amérique.

On ne connaissait du cousin que ses talents de chasseur. La légende voulait qu'à douze ans il ait accompli un premier exploit. Parti chassé le lièvre en France avec son père, le jeune Oswald s'était retrouvé un peu à l'écart du groupe et un sanglier en avait profité pour charger. Horrifiés, les hommes avaient assisté à la scène. L'enfant n'avait même pas crié. Il avait épaulé son fusil et attendu, avec un sang-froid inouï, que la bête s'approche. Alors, seulement, le bruit sourd d'une détonation avait résonné entre les arbres et le sanglier s'était écroulé à quelques pas de l'enfant. Ils avaient rapporté la

33

hure et au fil des ans, bien d'autres panaches étaient venus orner les murs du château familial.

Archibald Campbell s'était enorgueilli de faire découvrir son domaine à un chasseur aussi éminent. Il l'emmena à l'aube dans les marais salés alors que les chevreuils quittent la forêt pour aller brouter sur la berge. Puis, à marée basse, ils abattirent des loups-marins somnolant sur les blocs rocheux dans l'anse aux Bouleaux. Le cousin semblait insatiable. Ils cinglèrent encore vers le large pour éclabousser la mer du sang des marsouins et, au retour, ils piégèrent assez de renards pour vêtir toute une famille avec les peaux. Oswald Grant admit que ces chasses étaient encore plus miraculeuses que dans ses rêves les plus fous.

Avant de repartir, l'Écossais obtint de son cousin une vaste concession englobant l'île aux Plumes, de la pointe aux Épinettes jusqu'au cap Enragé. Il donna des ordres pour qu'une dizaine d'hommes travaillent à construire un vaste manoir dans l'anse aux Bouleaux ouest. L'emplacement, si loin du village comme du chemin du roi, était surprenant. Seuls les habitants de l'anse à Voilier, à près de deux milles sur l'autre rive, pourraient apercevoir l'habitation. À croire qu'Oswald Grant voulait se cacher.

Au printemps avant le retour de l'Écossais, Maybel eut treize ans. Elle savait carder, filer, tisser, fouler et teindre la laine et elle avait appris à tirer d'un porc comme d'un bœuf tout ce qu'il faut pour que rien ne se perde. Elle aidait Béatrice à faire

34

* hure : -

pousser des légumes et des fleurs, à tirer le lait et à baratter le beurre, à ajouter juste assez de lessi à la graisse bouillonnante pour fabriquer un bon savon. Maybel s'accommodait assez bien de toutes ces tâches, mais elle préférait les activités plus exaltantes. Grimper au sommet du pic Champlain, par exemple. Là, penchée au bord du vide, elle jouait à avoir peur, en riant de se sentir si merveilleusement vivante. Elle aimait aussi qu'Alban nomme pour elle les étoiles et que Béatrice lui confie ses dernières manigances pour garder intacte sa réputation de sorcière, ce qui lui assurait de n'être courtisée par personne. Ils se débrouillaient maintenant si bien que le Quêteux les quittait parfois pour quelques semaines, histoire de renouer avec la route.

Maybel et Alban assistèrent au retour de l'Écossais. Ce jour-là, la brume était si dense qu'on ne vit même pas le navire approcher. Le gardien de phare de l'île Bicquette avait tiré plusieurs coups de canon, un signe de fort mauvais temps. Lorsqu'un bateau émergea du brouillard, tel un fantôme égaré, les villageois s'empressèrent de faire courir le mot. Maybel et Alban s'en retournaient à l'anse à Voilier lorsqu'ils furent mis au courant.

Les badauds ne virent d'abord que des caisses et des malles empilées par les manœuvres, aidés par quelques domestiques. L'opération dura des heures, à croire que l'Écossais avait mis tout son pays en boîte. Le jour se mit à décliner derrière le brouillard, les curieux auraient dû se disperser, mais l'atmosphère était trop étrange. Tout le monde attendait l'Écossais. On aurait dit les gens cloués sur place sous ce ciel trop lourd et jamais les cris des mouettes n'avaient semblé aussi sinistres.

Oswald Grant débarqua enfin. Il avança lentement, titubant un peu avant d'affermir son pas, le regard fixe, l'œil morne et le dos bien droit malgré la lourde charge dans ses bras.

Il transportait un corps inanimé, celui d'une femme, grande et mince, enveloppée de mousseline. Le visage de cette dame, d'une pâleur extrême, était éclairé par une toison flamboyante. Ses longs cheveux flottaient au vent, fouettant ses joues exsangues et battant contre les cuisses de l'homme.

Oswald Grant ramenait le cadavre de son épouse, morte deux jours plus tôt alors que le navire remontait lentement l'estuaire. La pénombre ne parvenait pas à dissimuler les taches de sang sur l'étoffe fine couvrant la défunte. La pauvre femme avait perdu beaucoup de sang avant de s'éteindre mystérieusement. L'Écossais avait refusé qu'on la touche. Depuis son dernier souffle, il l'avait gardée tout contre lui.

Derrière Oswald Grant marchait un jeune homme. Son fils. De loin, déjà, on remarqua qu'il portait une longue écharpe rouge enroulée autour de son cou malgré la température clémente. À mesure qu'il s'approchait et que la nouvelle de la mort de sa mère se répandait, la scène se précisa.

Le fils portait un masque.

C'était un masque de cuir, souple et fin, noué derrière la tête avec quatre brins. Le front découvert du jeune homme révélait une chair meurtrie. Sa chevelure fauve était abondante, mais il n'avait plus de sourcils. Rien ne préparait à la vue des yeux immenses qui semblaient dévorer ce visage. Sous ce regard noir, obsédant, le masque était plaqué sur une chair qu'on devinait ravagée, car le cuir mince se plissait et se creusait par endroits, notamment au milieu du nez. Une large ouverture révélait une bouche quasi intacte. De près, toutefois, on remarquait que les lèvres étaient rongées à la commissure, d'un seul côté, celui du cœur.

Un malheureux osa exprimer ce dont tous étaient déjà convaincus.

– Le fils est un monstre ! s'exclama-t-il avec un brin de frayeur dans la voix.

L'Écossais fit encore quelques pas avant de s'arrêter devant l'effronté. L'homme poussa un cri en découvrant le regard dément d'Oswald Grant. L'Écossais cracha à ses pieds. Puis, toujours chargé du cadavre de sa femme, il s'adressa à la foule dans un français presque parfait.

– Regardez-le bien, car vous ne le reverrez plus ! annonça-t-il, la voix blanche de colère, en désignant son fils du menton.

Oswald Grant promena un regard lourd de menaces sur les hommes et les femmes assemblés. Une lueur hystérique brillait dans ses yeux.

– Je vous défends de venir sur mes terres. Ceux qui s'y aventureront le regretteront. Ne l'oubliez pas !

L'Écossais était revenu en fin d'été, alors que les

asters commençaient tout juste à fleurir. Dans les jours qui suivirent, les eiders entreprirent leur dérive vers d'autres eaux, les oiseaux de proie envahirent le ciel, criant leurs adieux avec des accents angoissants et des milliers d'outardes fuirent trop tôt, comme apeurées par les nouveaux arrivants.

Un peu avant l'hiver, le seigneur Campbell fit ses adieux. Le gouvernement ayant décrété la fin du régime seigneurial, Archibald Campbell voulut retourner dans son pays natal. Il y eut toutes sortes d'arrangements entre le maître et ses censitaires, mais le vœu secret de tous ne put être exaucé. Oswald Grant restait propriétaire d'un immense domaine désormais interdit.

L'Écossais ne cessa de défrayer la chronique. Il recevait souvent des marchandises de Québec ou d'outre-mer et ce déploiement de luxe irritait les villageois qui vivaient presque tous très modestement. Oswald Grant chassait sans relâche. Aux premières neiges, il engagea Arthur Rioux pour l'aider à installer des collets et des pièges.

Un matin de novembre, le pauvre Rioux fut témoin d'une scène éprouvante. Grant l'avait fait venir tôt pour l'aider à relever des pièges. Ils avaient déjà trouvé trois lièvres. Au site suivant, ils tombèrent sur un renard roux.

– Une superbe bête, raconta Rioux. La fourrure épaisse et tellement brillante que, de loin, on l'aurait crue en feu.

L'Écossais s'était agenouillé à côté du renard. Il aimait ce premier contact avec l'animal. La surprise de le découvrir raide ou chaud, sans vie ou encore prêt à mordre. Il désamorça adroitement le piège, libérant la patte broyée. L'animal s'était longuement débattu : la fourrure vilainement déchirée révélait les tissus jusqu'à l'os. La bête respirait toujours. Le pelage cuivré se soulevait encore lentement, animé par les dernières palpitations. Du sang maculait la neige.

Oswald Grant resta un long moment immobile. Puis il contempla tour à tour sa proie et ses mains rougies par le sang, comme s'il n'arrivait plus à cerner son rôle dans cette mise à mort.

– Lily... murmura-t-il doucement.

Quelques corbeaux répondirent.

– Lily ! cria-t-il alors.

Des battements d'ailes. Un croassement lugubre. Puis à nouveau le silence. Rioux comprit qu'un drame se jouait devant lui. Et parce qu'il avait vu l'Écossais débarquer quelques mois plus tôt avec cette femme aux cheveux roux dans ses bras, il devina que, dans l'esprit tourmenté de Grant, les toisons s'étaient emmêlées. Le renard devant lui n'était plus une bête.

– LILY ! rugit l'homme, d'une voix si désespérée que la forêt elle-même parut ébranlée.

Il n'y eut encore une fois que le silence oppressant. L'Écossais se mit à pétrir la bête comme pour la ramener à la vie. Il la caressa, la massa, enfouit son visage dans les dernières chaleurs de son ventre puis, comme fou, il la repoussa sauvagement avant de la cueillir à nouveau avec des gestes infiniment tendres pour la presser contre lui.

– Il avait l'air complètement perdu, raconta Rioux.

Oswald Grant finit par émerger de sa torpeur, mais il refusa de lâcher la bête. Il la porta jusqu'au manoir, ignorant totalement Rioux qui l'escorta un moment à distance. Dans les semaines qui suivirent, Rioux apprit d'un domestique qu'Oswald Grant avait entrepris de naturaliser lui-même l'animal. Gauchement, affectueusement, l'Écossais empailla le pauvre renard à la patte déchiquetée.

L'étranger n'arrêta pas de chasser, mais il s'y livrait avec moins d'ardeur et il ne posait jamais de piège dans lequel un renard eût pu s'engager. Rioux n'étant guère discret, tout le monde fut bientôt au courant du délire amoureux de l'Écossais, ce qui le rendit plus humain et sans doute aussi moins redoutable. On s'accommoda donc bien de ce nouvel épisode jusqu'à ce qu'Oswald Grant découvre, à la limite de ses terres, quelques pièges sans doute installés par des jeunes en quête de premiers exploits. Dans l'un d'eux, il trouva un renard roux occupé à se dévorer une patte.

Grant dégagea la patte sans prendre assez de précautions et il fut gratifié d'un vilain coup de dents. Lorsque Rioux, qui l'accompagnait, le vit déchirer sa chemise, il crut que c'était pour se fabriquer un pansement. L'Écossais utilisa plutôt l'étoffe pour museler la bête et lui attacher les pattes avant de la ramener avec lui.

Il mit d'abord le renard en cage, mais l'animal ne cessait de grogner, de gémir et de se lamenter en mordant les barreaux. L'Écossais fit venir Rioux et lui demanda de construire un vaste enclos pour son protégé. Il devait partir quelques jours et espérait qu'à son retour l'enclos serait achevé. Oswald Grant précisa à Rioux que ni lui ni ceux qui l'assisteraient ne devaient s'approcher du manoir durant son absence.

Alban faisait partie des hommes auxquels Rioux demanda de l'aider. La mer s'était déjà depuis longtemps soudée à la côte. Pendant ces quelques jours où ils construisirent l'enclos, l'hiver sévit. Au troisième jour, pourtant, l'ouvrage était terminé. Alban offrit de ramasser l'équipement. Une fois tout bien rangé, il s'approcha du manoir malgré l'interdiction. Avant l'arrivée de l'Écossais, Alban venait parfois marcher sur la grève de l'anse aux Bouleaux. De là, il pouvait distinguer, sur l'autre rive, sa petite ferme et la grange-étable un peu à l'écart.

Alban prit plaisir à renouer avec ce paysage. Il trouvait réconfortant de pouvoir ainsi embrasser du regard tout ce qu'il possédait. Béatrice et Maybel devaient commencer à carder ce jour-là. Elles avaient réussi à nettoyer la laine avant le froid. À son arrivée, le plancher serait couvert de mousse grise. Alban dut sourire, il avait hâte de rentrer.

Au moment où il quittait la plage devant le manoir, Alban distingua un mouvement dans la forêt, tout près. Une ombre s'était déplacée à la hauteur de ses yeux. Et ce n'était pas un chevreuil.

41

– Qui est là ? demanda Alban.

Il était persuadé que c'était un homme et il ne pouvait s'empêcher d'imaginer que c'était peut-être le fils. Le grand jeune homme au visage pourri.

– Étampé par le diable ! Rongé par le démon ! disaient les méchantes langues.

Alban attendit un bon moment avant de repartir. L'homme avait fui comme par enchantement, sans faire craquer une seule branche. Alban poursuivit sa route en songeant au fils de l'Écossais. Personne ne l'avait revu depuis le jour du débarquement. Or, de l'avoir deviné si proche, soudain, avait remué Alban. Il trouvait ignoble qu'un humain soit ainsi soustrait du reste du monde.

À son retour dans l'anse à Voilier, Alban partagea ses réflexions avec les siens. Maybel fut particulièrement émue à l'idée du jeune homme masqué fuyant parmi les arbres. Elle pensait souvent au fils de l'Écossais isolé dans ce manoir avec pour seule compagnie quelques domestiques et un père geôlier.

Quelques semaines plus tard, Rioux apprit d'O'Connell, le seul domestique avec qui il conversait un peu, qu'un autre renard avait été sauvé par Grant, puis libéré dans l'enclos. Il y en eut bientôt quatre et, au printemps, douze.

Cette histoire d'enclos enrageait les habitants. Oswald Grant ne semblait pas désireux de tuer les renards pour vendre leur fourrure et il n'allait sûrement pas les embrocher. Il voulait donc les protéger. Or, pour un fermier, il n'y a pas pire ennemi que ces petites bêtes sournoises et futées qui vident un poulailler en criant ciseau. L'enclos était solide, Rioux pouvait en témoigner, mais, un jour ou l'autre, une bête y trouverait une faiblesse ou s'en ménagerait une en creusant le sol.

La grogne empira quand l'Écossais décida de varier le menu de ses renards. Au lieu d'offrir aux habitants les lièvres qu'il capturait, Oswald Grant les donnait maintenant en pâture à ses renards. Lorsque le fils du forgeron annonça qu'il souhaitait se départir d'un vieux cheval, tout juste assez bon pour transporter de petites charges, l'Écossais l'acheta, le fit débiter et embarqua la viande dans une charrette. Rioux admit l'avoir aidé à décharger les quartiers dans l'enclos. Tout le monde en fut scandalisé.

– Tenez-vous bien ! Un bon jour, l'Écossais va trancher un de nos enfants en rondelles pour le donner à ses maudits renards, dit Isaac Turcotte.

Au début du printemps, la carriole de l'Écossais s'embourba sur le chemin du roi entre l'anse à l'Orignal et le cap aux Corbeaux. Ce jour-là, le ciel était un vrai déversoir. On eût dit qu'il tombait des clous. L'Écossais s'échina longtemps avec une pelle de fortune à tenter de dégager ses roues. Coup sur coup, deux hommes le dépassèrent sans s'arrêter avec leur attelage. O'Connell raconta plus tard, avec une pointe d'indignation, que son maître avait failli attraper la crève. Il était rentré à pied au manoir, à la nuit tombée, épuisé et fiévreux.

C'est à cette époque qu'on commença à parler

du fils. De temps en temps quelqu'un rapportait l'avoir vu arpenter les caps ou patrouiller la grève à des heures indues, son écharpe rouge flottant derrière lui. Deux pilotes l'avaient vu émerger du brouillard à l'aurore, seul dans une petite barque charriée par la marée. Quelques secondes plus tard, il avait disparu. Un soir de pleine lune, ils avaient reconnu sa haute silhouette grimpée sur les falaises au bout du cap Enragé alors qu'un couple d'éperviers décrivait de grands cercles au-dessus de lui.

– Rien que d'y penser, j'en ai la chair de poule, raconta l'un d'eux. Imaginez! Des rapaces qui n'osent pas retourner à leur nid parce qu'ils ont peur d'un homme. Ça en dit long sur la face pourrie, non?

Et encore, Isaac Turcotte jurait avoir vu le fils de l'Écossais nager avec les loups-marins, mais on attribua cette vision au vin de cerise que fabriquait sa femme.

– Es-tu fou, Isaac! Les loups-marins ont beau être curieux, ils sont quand même assez fins pour se tenir loin d'une face de même. Le diable lui-même en aurait peur!

Maybel ne perdait rien de ces discussions sur le parvis de l'église. L'Écossais et son fils hantaient de plus en plus son imagination. Elle s'était prise d'aversion pour le père, mais refusait de croire que le fils puisse être mauvais. Plusieurs fois, déjà, elle s'était approchée du manoir dans l'espoir de l'apercevoir. L'entreprise était risquée, mais, à ses yeux, cela ne faisait qu'ajouter du piquant. Maybel avait appris à aller au bout de ses désirs et elle était résolue à percer le mystère du jeune homme masqué.

À la brunante, elle s'était déjà aventurée jusqu'au parc à renards. L'un d'eux était venu gratter la clôture, tout près. C'était un bel animal. Sa fourrure dense était presque dorée à la lumière du soir. Maybel prit plaisir à l'observer. Elle n'avait jamais vu un renard d'aussi près. Les fines pattes noires, les oreilles pointues, sombres elles aussi, et le museau effilé, dernière tache de nuit sur un pelage brillant. En poursuivant son exploration, Maybel fut happée par les yeux. Deux pierres lumineuses aux couleurs changeantes. Un regard fixe, d'une intensité obsédante.

– Il n'y avait pas une once de malice dans ces yeux-là, me raconta Maybel beaucoup plus tard.

Ce qui l'avait frappée, c'était la tristesse et la résignation dans ces deux petites billes. Le renard mourait d'envie de courir les sous-bois, il aurait fait n'importe quoi pour sortir de l'enclos.

Le printemps était déjà avancé le jour où Oswald Grant arriva à la forge furieux. La moitié de ses renards avaient disparu pendant la nuit. Alerté par des glapissements, il était accouru juste assez vite pour voir la silhouette du coupable disparaître entre les arbres. Il avait refermé la brèche par où les bêtes fuyaient et s'était promis d'embrocher le malfaiteur si jamais il avait l'immense bonheur de lui mettre le grappin dessus.

– Pour plus de chance, j'installe des pièges à ours ! annonça-t-il.

Ce n'étaient pas des paroles en l'air. Oswald Grant se procura des pièges à ours et il les éparpilla autour du manoir et de l'enclos. Seuls ses domestiques en connaissaient l'emplacement.

Maybel hésita un peu avant d'entreprendre sa folle équipée. Elle avait acquis une immense foi en la vie et une confiance en elle-même si grande qu'elle en avait conçu un vague sentiment d'invincibilité, ce qui n'est pas si rare à cet âge mais, dans son cas, prenait des proportions démesurées. Armée d'une pelle avec laquelle elle explorait le sol avant chaque pas, elle s'approcha encore une fois de l'enclos. Une demi-douzaine de renards y étaient toujours captifs. À l'arrivée de Maybel, ils s'assemblèrent là où leur prison s'était déjà miraculeusement ouverte. Maybel sentit sa gorge se serrer en remarquant que deux femelles étaient pleines.

Elle voulait libérer les renards, mais à mains nues, elle n'arrivait pas à ouvrir l'enclos. Elle y retourna donc le lendemain, bien décidée, cette fois, à parvenir à ses fins. Maybel se faufila dehors en cachette, comme la nuit précédente, prit un marteau et quelques outils cachés derrière la maison et courut sur la grève, longeant les baies et les anses, consciente du peu de temps dont elle disposait avant que la marée envahisse l'estran. Dès qu'elle put entrevoir le manoir, elle quitta le rivage, essoufflée, les oreilles bourdonnantes, et s'enfonça dans la forêt. C'est alors, seulement, qu'elle entendit les glapissements et les jappements auxquels se mêlaient les cris de l'Écossais. Maybel se cacha derrière quelques bouleaux et attendit, roulée en boule, le cœur prêt à exploser.

Les renards s'étaient échappés de l'enclos. Un homme, le même sûrement que l'autre fois, les avait libérés. Qui diable cela pouvait-il être ? Un des fermiers, forcément. Mais n'aurait-il pas tenté d'abattre les bêtes ? À moins qu'il n'ait voulu les attirer plus loin. Maybel s'efforçait de réfléchir à ces suppositions pour ne pas céder à la panique. Pour oublier qu'Oswald Grant était tout près. Et fou de rage. Au bout d'un moment, les cris des bêtes ne lui parvinrent plus qu'étouffés. Elle songeait à repartir lorsqu'elle entendit des pas. Quelqu'un s'approchait.

C'était l'Écossais. Il se dirigeait vers Maybel en pressant une longue écharpe rouge contre sa poitrine. Soudain, il buta contre un objet. Maybel parvint tout juste à retenir un cri. Oswald Grant venait de ramasser le marteau qu'elle avait dû laisser échapper en courant. L'Écossais s'éloigna en emportant l'outil avec lui.

Cette fois, Maybel ne put cacher son escapade. La mer avait envahi la plage. Elle dut escalader la pointe aux Épinettes, se frayer un chemin parmi les broussailles en bordure du marais salé et contourner la montagne Ronde. À son arrivée, Alban, Béatrice et le Quêteux l'attendaient, morts d'inquiétude.

Le lendemain, Alban raconta l'aventure de

Maybel à Rioux, le priant de faire enquête pour connaître la réaction de l'Écossais. Allait-il tenter de découvrir le propriétaire du marteau ? Si tel était le cas, Alban se doutait bien qu'Oswald Grant finirait par trouver quelqu'un qui parlerait. Tout le monde ne le portait pas dans son cœur et l'outil était marqué des initiales de son père. Tôt ou tard on l'identifierait.

Rioux avait grandi dans une ferme désormais abandonnée pas très loin de l'anse à Voilier. Enfant, il avait joué avec Alban et le tenait encore en bonne amitié. Il parvint à s'entretenir avec O'Connell le jour même. L'histoire que Rioux rapporta à Alban, puis répandit à tous vents, surprit tous ceux qui l'entendirent.

Le marteau n'avait pas impressionné l'Écossais autant que l'écharpe rouge qu'il avait trouvée accrochée à l'enclos, exactement là où une ouverture avait été ménagée pour faire sortir les bêtes.

– Pour l'Écossais, ce bout d'étoffe, c'est une signature, expliqua Rioux. Oswald Grant ne cherchera pas le coupable au village pour la simple et bonne raison qu'il est dans sa maison. C'est son fils !

Il ajouta encore :

– Dis adieu à ton marteau, Alban. L'Écossais doit penser qu'il appartient à un de ceux qui ont travaillé à l'enclos. De toute manière, il pourrait seulement t'accuser d'avoir rôdé.

À compter de ce jour, l'Écossais laissa l'enclos désert. Béatrice, qui était sans doute un peu sor-

cière dans sa manière de lire le cœur des gens,
confia à Maybel qu'à son avis Oswald Grant avait
achevé son deuil. C'est pour ça qu'il laissait l'enclos
vide. Son fils avait attendu juste le temps qu'il fallait
avant de libérer les renards.

Quelques jours plus tard, O'Connell et sa femme
furent congédiés. Oswald Grant les fit héberger à
la Grande Île en attendant le prochain navire pour
l'Écosse. Deux nouveaux domestiques arrivèrent
par bateau. Ils étaient parfaitement unilingues et
terriblement peu engageants. Rioux, qui avait été
souvent mandé pour de menus travaux, fut instruit
de ne plus jamais remettre les pieds sur les terres
de l'Écossais. Oswald Grant avait renoncé à ses
renards, mais il renforçait les murs autour de la
prison de son fils. Les informateurs disparus, plus
personne n'aurait idée de ce qui se passait au
manoir. Oswald Grant était désormais le seul à
sortir de ses terres, le seul à fréquenter la forge
comme le magasin général.

L'automne fut clément. Les agriculteurs parvinrent à engranger à peu près tout ce dont ils auraient
besoin. Rioux et Alban s'entraidèrent pour la boucherie, comme d'habitude, et une fois la besogne
terminée, les deux familles s'entassèrent dans la cuisine de Béatrice pour un festin de cochonnaille. Il
faisait froid, aussi les hommes avaient-ils enfilé quelques petits remontants, « pour se fabriquer du nouveau courage », alors qu'ils travaillaient dans le
fournil. Pendant le repas, le cadet Rioux, qui avait
quelques années de plus que Maybel, la dévora des

yeux comme s'il venait tout juste de découvrir son existence.

Au cours de l'été, Maybel s'était transformée. Ses seins s'étaient épanouis, ses hanches affermies et sa silhouette toujours élancée paraissait moins frêle. Une sensualité nouvelle, dont elle n'avait pas encore conscience, l'habitait. Ses gestes étaient aussi vifs et elle n'avait rien perdu de son allure brouillonne, mais une sorte de grâce enchantait maintenant le regard. Ses yeux avaient gardé leur teinte violacée et lorsqu'elle souriait, le monde entier semblait en fête. Elle était belle d'une manière aussi claire et aussi peu inconvenante que lorsqu'elle était enfant, mais avec désormais quelque chose d'émouvant. Si le fils Rioux fut le premier à le remarquer, la transformation n'échappa bientôt plus à personne.

Au début de l'hiver, un événement transforma la vie d'Alban. Le phare de l'île Bicquette, à une demi-douzaine de milles du village, était occupé depuis plusieurs années, d'avril à octobre, par un gardien et son assistant. Ils gagnaient l'île un peu avant le passage des oies blanches et y restaient jusqu'à ce que les premières glaces frangent la plage, assumant jour après jour des quarts de six heures à surveiller les grosses lampes à huile et à guetter l'horizon. C'était une tâche d'une extrême importance, le phare de l'île Bicquette ayant sauvé bien des vies.

Cette année-là, on ne sait trop pourquoi, il fut décidé que le gardien de phare et son assistant resteraient plus longtemps. Alphonse Chénard et son fils firent des provisions au village en octobre avant de retourner à l'île Bicquette avec mandat de ne pas revenir avant que la banquise soit formée. Un mois plus tard, les deux hommes réapparaissaient, plus morts que vifs, le visage aussi pâle que celui d'un fantôme. Et c'était de fantôme, justement, qu'il était question.

L'île Bicquette est à la merci de tous les vents. L'été, avec les milliers d'eiders qui y nichent et l'intense activité marine autour, le gardien et son aide étaient moins conscients des plaintes et des gémissements emplissant l'étroit bâtiment, surtout la nuit. Le froid venu, les vents se firent plus mordants et le phare s'anima d'une vie nouvelle. On aurait dit qu'une créature féroce guettait derrière les murs, les fenêtres, le toit, raclant les surfaces de ses pattes griffues, sifflant, grognant, soufflant, tant et tant que les Chénard finirent par croire que le phare était hanté. Ils tinrent bon malgré tout, jusqu'à ce qu'une nuit le fils réveille son père en jurant avoir aperçu une ombre grise dansant autour des grosses lampes du phare.

– C'est un fantôme, hoquetait le fils. Un malin prêt à répandre l'huile, prêt à mettre le feu.

Les Chénard tentèrent de fuir la nuit même, mais de trop fortes bourrasques les forcèrent à rebrousser chemin. Ils attendirent encore deux jours et autant de nuits, de plus en plus paniqués, avant de tenter à nouveau leur chance, ramant cette fois comme s'ils avaient le diable à leurs trousses.

Chénard songeait déjà à sa retraite et son fils n'avait plus du tout envie de prendre la relève. On eut beau décréter que la saison prendrait fin comme de coutume en octobre, les deux hommes déclarèrent forfait. Il fallait engager un nouveau gardien. En l'apprenant, Alban devint tout chose. Béatrice comprit. Elle parla à Maybel, puis expliqua l'affaire au Quêteux. Ensemble, ils encouragèrent Alban à postuler l'emploi.

Quelques semaines plus tard, Alban organisa une petite fête à laquelle furent invités les Rioux et d'autres amis. Le nouveau gardien du phare de l'île Bicquette était enchanté par la perspective de cette vie nouvelle. Depuis qu'il avait quitté sa charge de pilote pour devenir simple colon, quinze ans plus tôt, il avait enduré sans rien dire la fatigue quotidienne, les obligations continuelles et, surtout, l'esclavage bien réel que représentent une terre et des bêtes pour ceux que cette vie n'attire pas. Alban le rêveur, le grand fou d'étoiles, allait enfin pouvoir concentrer son regard sur le ciel. Les trois derniers fils Rioux se relaieraient pour le seconder au phare.

L'hiver s'installa pour de bon. Un après-midi, l'Écossais s'arrêta à la forge et y fit circuler une bouteille d'eau-de-vie. À moins trente degrés, même s'ils se méfiaient de l'individu, les hommes n'eurent pas le courage de refuser. Oswald Grant raconta à qui voulait l'entendre qu'il revenait d'un long périple au cours duquel il avait appris à capturer le loup-marin au trou, en pleine banquise.

— Comme les faces plates du Nord ! se vanta-t-il.

Il semblait adorer cette chasse exigeante et sournoise. À croire qu'il entretenait quelque rancœur envers ces loups-marins qu'il prenait un plaisir sauvage à abattre. Quelques saisons plus tard, Maybel découvrit avec effroi ce qui poussait Oswald Grant à s'acharner sur ces bêtes.

Pendant tout l'hiver, nul ne put rapporter les déplacements du fils de l'Écossais.

— La prochaine fois que le vieux est de bonne humeur, je vais lui demander si son horreur de fils est toujours vivant, fanfaronna Isaac Turcotte peu après le passage des oies.

Il n'eut pas à le faire. La « face pourrie » se manifesta avant.

Depuis plusieurs semaines déjà, Alban passait ses nuits dans le phare, traçant des lignes imaginaires entre les étoiles pour dessiner des territoires auxquels il attribuait des noms extraordinaires. Le Kaldawi, l'Étourloupe, la Sagamane... Un matin, alors qu'il dormait depuis quelques heures à peine dans la petite maison derrière le phare, il fut réveillé par Félicité Gagnon, un pilote de la Grande Île, venu l'avertir que la mère Sirois serait enterrée le jour même. C'était la sœur d'Isaac Turcotte, une femme qu'Alban connaissait depuis toujours. Alban s'assura qu'un pilote viendrait prendre la relève du fils Rioux si jamais il tardait à rentrer et il alla détacher sa barque.

Le vent avait forci. Un nordet lourd de bruine qui n'augurait rien de bon. Alban contempla l'idée de retourner dormir, puis il songea que ses prières au chevet de la défunte seraient encore mieux entendues si, pour les faire, il devait ramer longtemps et avec ardeur. Il serait aussi heureux de revoir les siens, surtout la Belle.

La mer était déserte. Les oiseaux et les loups-marins se méfiaient de ce vent, contre lequel Alban dut lutter encore plus qu'il ne l'avait anticipé. Lorsqu'il dépassa enfin le récif de l'Orignal, après plusieurs heures d'efforts, Alban sentait tous les muscles de ses bras, de son ventre et de son dos tendus à l'extrême et douloureux. Heureusement, il approchait des falaises du cap Enragé. Bientôt il apercevrait le village au loin. C'est alors que le ciel se fracassa d'un coup. Une pluie dense s'abattit, fouettant le visage d'Alban et faisant tanguer son bateau. Il continua de ramer en visant l'île Brûlée qui lui servait désormais de repère, pendant que les vagues enflaient à vue d'œil. Mais bientôt sa barque refusa d'obéir, on aurait dit que le vent l'avait avalée, refusant à Alban tout droit de gouverne. Le bateau fut ainsi happé puis recraché dans l'anse aux Bouleaux, un havre naturel déserté depuis que l'Écossais s'y était établi.

Alban s'approcha de la rive et tira son embarcation lourde d'eau sur la grève. Il souhaitait gagner le village à pied, en traversant les terres d'Oswald Grant. Tant pis pour l'interdiction de passage, il n'était pas arrivé là de son gré. L'Écossais lui-même ne pouvait rien contre les débordements du ciel. Pour se réchauffer et parce qu'il était déjà tard,

Alban courut. Il était tout près du manoir lorsque son pied glissa sur une pierre. Alban grimaça de douleur autant que de dépit en reconnaissant les signes d'une vilaine entorse. Il cassa une branche pour s'en faire un appui et poursuivit sa route en clopinant.

En passant près de l'ancien parc à renards, Alban crut percevoir des gémissements. Il tendit l'oreille. Ce n'était pas le vent. On aurait dit un animal et pourtant, la plainte n'était pas celle d'un lièvre, d'un renard ou d'un porc-épic. C'était un emmêlement étrange de toutes ces bêtes à la fois, miaulements, jappements et sanglots, entrecoupés par des lamentations si douloureuses qu'on aurait dit un loup-marin attaqué par une nuée de goélands.

Alban découvrit une ombre appuyée à l'enclos. La masse sombre remua, une peau de loup-marin glissa sur le sol. Alban vit alors un bout d'écharpe rouge. Oubliant sa blessure, il se précipita vers le fils de l'Écossais. Le jeune homme poussa alors un cri de bête, si déchirant qu'Alban s'arrêta, saisi. Il n'avait jamais rien entendu de pareil. C'était comme si la plainte n'était pas sortie du ventre de l'homme mais des entrailles de la terre. Le fils avait caché son visage derrière ses bras. Il n'avait pas de masque.

– Êtes-vous blessé ? demanda Alban en s'agenouillant près du jeune homme.

Il y eut un long silence. La pluie avait cessé. On n'entendait plus que le faible tremblement des feuilles.

55

– Partez ! souffla le fils de l'Écossais.

Sa voix frémissait, comme s'il déployait des efforts inouïs pour étouffer une douleur secrète.

– Laissez-moi vous examiner, plaida Alban.

Le jeune homme émit un soupir étranglé.

– C'est un mauvais jour pour moi aussi, raconta Alban avec l'impression que chaque mot prononcé, chaque mot entendu tissait un lien entre le fils et lui. J'ai ramé comme un fou pour arriver à temps... à un enterrement. C'est bête quand on y pense ! Mais j'ai été déporté par le vent. Et, après, je me suis tordu une cheville en courant. C'est déjà pas mal enflé. Mais je devine que ce qui vous taraude est beaucoup plus grave...

Les ombres s'étiraient déjà entre les arbres. On aurait dit que le jeune homme retenait son souffle. Alban songea qu'il était à peine plus âgé que sa fille. Le gardien de phare avança lentement un bras pour caresser la tignasse du jeune homme.

– NON ! hurla ce dernier en se relevant brusquement pour échapper à la main d'Alban.

Il n'avait pas eu de difficulté à se relever. « De quel mal peut-il bien souffrir ? » se demanda Alban. Le fils d'Oswald Grant le dominait maintenant de sa haute silhouette. Il cachait encore le bas de son visage de ses bras pendant que son regard fouillait celui d'Alban. Ses yeux étaient immenses et ils n'avaient rien de redoutable. Ils exprimaient surtout une profonde tristesse.

Alban fit un pas vers le jeune homme. Ce dernier recula, paniqué, et en se retournant pour fuir, il abaissa les bras. Alban sentit alors un courant glacé courir dans son dos. Était-ce une illusion ? Il avait eu le temps d'entrevoir le contour d'une joue.

Mais il n'y avait pas de joue. C'était un trou.

Le jeune homme disparut et Alban poursuivit sa route, trop ébranlé pour songer à sa blessure. Peu après, un domestique arriva en courant. Il pria Alban de le suivre. Médusé, Alban laissa le domestique l'escorter jusqu'au manoir. Ce qu'il y vit et ce qu'il y vécut resta à jamais gravé dans sa mémoire.

La splendeur, d'abord. Alban n'avait jamais mis les pieds dans pareil bâtiment. Tout était vaste, rien n'était ordinaire. Le plafond était beaucoup trop haut, les murs étaient tapissés d'immenses tableaux. Chaque porte était ouvragée. Le manoir n'avait rien de vraiment accueillant, mais une foule de détails captaient l'œil.

Alban traversa un couloir avec plus de portes qu'il n'avait le temps d'en compter. Le domestique ouvrit la dernière et recula pour laisser passer Alban. Il pénétra dans une pièce où trônait un lit gigantesque, rien à voir avec les simples paillasses où il avait l'habitude de dormir. Une fenêtre de bonne dimension donnait sur la forêt déjà à demi envahie par la nuit. Quand Alban se retourna, le domestique avait disparu et la porte s'était refermée derrière lui.

Une feuille de papier gisait sur le seuil. Alban lut :

Cher monsieur,

Vous n'êtes pas prisonnier, mais je vous saurais gré de ne pas déambuler dans le manoir. Reposez-vous. Si la faim vous tenaille ou si vous désirez quoi que ce soit, glissez cette feuille sous votre porte et un domestique viendra.
Bonne nuit,
                                        William Grant

William. Il avait donc un nom... Et il rédigeait, en français, des phrases qui semblaient sorties tout droit d'un livre ! Alban était ébranlé par toutes ces découvertes. En inspectant mieux la pièce, il trouva un bac rempli d'eau froide et s'installa dans un fauteuil confortable pour faire tremper sa cheville endolorie. Au bout d'un moment, il s'aperçut qu'il frissonnait dans ses vêtements trempés. Alors il se dévêtit, se glissa sous les couvertures du lit et tomba presque aussitôt endormi.

À son réveil, Alban entendit la porte de sa chambre se refermer. Le jour était déjà plein. Les feuilles bruissaient dans la forêt derrière. Alban découvrit des vêtements secs au pied du lit et un plateau chargé de nourriture exquise sur une table basse tout près. Il but du thé brûlant très parfumé et dévora des petits pains dorés et moelleux comme il n'en avait jamais goûté. Il attaqua ensuite un magnifique plat de viandes : du porc, de la volaille et une pièce de gibier délicieuse qui ne lui rappelait rien de connu. Il mangea encore des œufs brouillés accompagnés d'oignons minuscules, brunis et très sucrés. Pour finir, il but lentement un verre de liqueur de petits fruits en lisant le message glissé sous son verre.

Appréciez ce repas avant de repartir. Faites bonne route, mais ne remettez jamais les pieds ici et ne dites à personne où vous avez dormi. Mon père n'est pas un mauvais homme, cependant il a parfois des gestes regrettables. S'il savait que vous êtes venu, sa colère serait terrible. Il pourrait vous importuner jusque dans l'anse à Voilier.

Une vague d'angoisse étreignit Alban alors qu'il lisait cette dernière phrase. Il jeta encore un regard à la chambre où il avait dormi et quitta les lieux, accablé par l'avertissement.

De retour à l'île Bicquette, Alban raconta qu'il avait été déporté, qu'il s'était blessé et qu'il avait dormi dans un fourré avant de revenir. Le fils Rioux ne remarqua pas qu'Alban portait des vêtements différents de la veille.

Quelques jours plus tard, Maybel rendit visite à son père. Alban contempla sa fille alors qu'elle courait vers lui, ses longs cheveux couleur de miel flottant autour du si joli visage. Ses joues rosies par le vent mettaient en valeur l'étrange couleur de ses yeux.

Maybel poussa des exclamations de joie en découvrant les milliers d'eiders couvant leurs œufs sur l'île en ce mois de mai. De longues bandes de rivage disparaissaient sous un nuage de plumes.

– Tu reviendras quand les coquilles auront

craqué, dit Alban. L'ancien gardien dit que les petits sont tellement pas farouches qu'on peut les flatter.

Alban s'assit sur une grosse pierre et Maybel le rejoignit. Elle perçut rapidement l'émotion de son père.

— Ici, je suis comme au paradis, reprit Alban. La tête dans les étoiles, les pieds dans les plumes. C'est bourré d'étoiles filantes et j'ai déjà vu les plus belles aurores boréales qu'un ciel peut dessiner. En sortant du phare, je tombe sur toutes ces mères dans cet éparpillement de plumes. Cette île, c'est comme une prière vivante !

Alban éclata d'un rire bref.

— Avoue, ma Belle, que le curé s'étoufferait s'il m'entendait.

Maybel s'efforça de sourire. Elle devinait que son père avait d'autres choses à dire. Il lui raconta sa rencontre avec William Grant, sa nuit au manoir et l'avertissement qui l'inquiétait tant. Maybel parut immédiatement soulagée.

— C'est un vieil Écossais, papa, pas un ogre ! Et puis, il n'y a que nous deux qui savons que t'es allé là, non ? On le dira à Béatrice et puis au Quêteux, mais c'est tout. De quoi as-tu peur ? Qu'il se venge sur moi pendant ton absence ? Qu'il m'emprisonne comme son fils ?

Le visage de Maybel s'éclaira.

— Je veux bien ! dit-elle. Ça fait tellement longtemps que j'ai le goût de le voir. Le fameux fils masqué ! La « face pourrie », comme ils disent. Je

veux lui parler. Il habite tout près... On est voisins !
Penses-y ! Mais on dirait qu'il vit sur une autre
planète. Personne sait ce qui lui est arrivé, personne
sait comment il est vraiment. Un trou, tu disais...
À la place d'une joue ! C'est terrible, non ? Je me
demande ce qu'il ressent. À quoi il pense. Ce qu'il
fait de ses journées...

La réaction de Maybel alarmait Alban.

– L'Écossais est dangereux, Maybel. Rappelle-
toi les pièges à ours. J'avoue que le fils est peut-être
moins mauvais que ce que tout le monde voudrait
croire, mais à mon avis le père est fou. Et on ne
sait pas jusqu'où il peut dérailler.

Alban scrutait le ciel déjà sombre, balayé par les
lumières du phare.

– J'aime pas l'idée d'être ici alors que l'Écossais
pourrait rôder dans l'anse. Je m'en voudrais tellement s'il t'arrivait quelque chose...

Maybel s'agenouilla devant son père et prit ses
mains dans les siennes.

– Arrête de t'inquiéter ! Écoute-moi bien : il va
rien nous arriver. T'entends ? Je suis pas en danger.
Je le sais. Je peux pas t'expliquer... mais je suis
sûre. Au village, il y en a qui disent que j'ai du
sang de sorcière. Comme Béatrice. Ils ont peut-être
un peu raison. Y a des choses que je sais. Dans
mon cœur, dans mon ventre.

Alban découvrait que sa fille avait vieilli et il
avait confiance en cette petite femme encore plus
belle que celle qu'il avait perdue. Maybel semblait
avoir hérité de Béatrice une détermination et une

61

intensité quasi magiques. Et elle avait autre chose encore qui lui était propre. Maybel respirait la joie. Alban avait tout fait pour qu'il en soit ainsi. Et voilà qu'il découvrait que cette joie lui servait d'armure. Comme si cette propension au bonheur la protégeait des vilenies.

Alban quitta le phare en octobre pour constater que la petite tribu de l'anse s'était bien débrouillée sans lui. Il neigea avant la Toussaint et tout le monde fit boucherie par grand froid. Cet automne-là, le fils Rioux ne se contenta pas de dévorer la Belle des yeux. Il chercha à l'impressionner en vantant son propre courage. N'avait-il pas trouvé un cadavre attaché à un flotteur au large de l'île Bicquette ?

– C'était assez épeurant à voir..., raconta-t-il. Il n'y avait plus que des coquillages collés aux os. La mer avait mangé le reste. Mais ça ne m'a pas ému. C'est moi qui ai ramené le corps pendant que M. Collin étudiait son ciel.

Il avait parlé d'Alban comme d'un enfant. Béatrice et Maybel échangèrent un regard. Plus tard, Maybel confia à Béatrice que les manèges d'Eugène Rioux pour se faire valoir l'exaspéraient.

– C'est tellement idiot !

Béatrice avait ri, fière de découvrir que sa nièce lui ressemblait.

– Mais tous les hommes ne sont pas idiots, ma Belle, avait expliqué Béatrice d'une voix grave. Un jour, tu vas en rencontrer un qui va te virer à l'envers. Laisse-le faire. T'inquiète pas si t'as l'impression d'être perdue ou malade, avec en même temps le cœur qui chante. C'est comme ça ! Quand ça t'arrivera, fais confiance. Et prie le bon Dieu pour qu'il garde ton homme vivant.

Maybel avait senti, dans ces quelques mots, le poids de nombreuses années de peine refoulée. Celle qu'au village on appelait la sorcière avait le cœur drôlement bien accroché. Et elle avait aimé, de tout son être, passionnément, l'homme dont on la soupçonnait d'avoir voulu se débarrasser. Béatrice n'avait jamais parlé de ces racontars. Elle s'était simplement retirée du monde, faisant tout en son pouvoir pour attiser la légende. Béatrice la sorcière ? Soit ! Si ça lui garantissait la paix...

Un jour, alors que le charron l'asticotait parce qu'elle ne se mêlait jamais à personne, Béatrice lui avait répondu d'une voix que la colère rendait blanche :

– L'ignorance, c'est contagieux. Et moi, je tiens à ma santé. C'est pour ça que je reste loin du clocher de Sainte-Cécile.

C'est à la fin de cet hiver-là que j'ai rencontré Maybel pour la première fois. Elle allait bientôt avoir seize ans. C'est elle qui m'a presque tout raconté. C'est sa vision qui a façonné la mienne. D'autres paroles se sont unies à la sienne pour me permettre de reconstituer cette histoire et peut-être bien qu'au fil des ans j'ai moi-même comblé quelques trous. Il faut dire que le magasin général où je travaillais était bien plus qu'un commerce. C'était le lieu de tous les récits.

Tous les dimanches, après la grand-messe, Alban et Maybel s'arrêtaient au magasin, comme tant d'autres. Dès le premier dimanche, j'eus l'idée d'emmener Maybel voir ma chambre dans notre logis au-dessus du magasin. Là, nous avions parlé, comme si nous étions amies depuis toujours, jusqu'à ce que maman vienne nous avertir qu'Alban était prêt à repartir. Maman comprit que Maybel me faisait du bien. Le dimanche suivant, elle invita Alban et Maybel à partager notre repas.

– C'est pas deux bouches de plus qui vont changer grand-chose, dit-elle en souriant largement.

Au début, Alban se montra réticent. À force de vivre isolé, sur l'île ou dans l'anse, il avait perdu le tour des conversations. Mon père se chargea de lui dégourdir la langue en lui posant des questions sur l'île Bicquette, le pilotage et sa vie quotidienne dans l'anse. Après quelques bons dimanches au cours desquels mon père se prit d'affection pour Alban, le gardien de phare regagna son île pour la saison de navigation et Maybel continua de venir seule.

Entre ces visites, je travaillais au magasin et, pendant mes temps libres, je descendais souvent jusqu'à la mer. La première fois que je vis la batture découverte à marée basse, j'eus l'impression de rêver. D'une marée à l'autre, le paysage se métamorphosait. L'horizon reculait et des îles surgissaient soudain, en même temps qu'une multitude de petits rochers. Un jour, j'eus l'impression d'avoir la berlue : on aurait dit que les rochers bougeaient. C'était pourtant vrai ! Des loups-marins y étaient perchés et leur pelage se confondait si bien avec le roc qu'il fallait observer attentivement pour les voir soudain gigoter, heureux comme des rois à paresser au soleil en attendant la prochaine marée.

En avril, j'assistai à ma première vraie tempête. Les gens disaient que les jours où la mer est vraiment enragée, les vagues atteignent la taille d'un homme et elles sont assez puissantes pour faire rouler les pierres sur la grève. Je découvris que c'était vrai.

Quelques jours après cette tempête, le charron raconta devant moi une bien étrange histoire. Les roues de sa carriole s'étant enfoncées dans le chemin, tant et tant qu'il n'arrivait plus à les déprendre, il avait grimpé sur le sentier de la montagne Ronde, un peu à l'ouest du marais salé, pour voir si on venait. C'est là qu'il avait aperçu le fils de l'Écossais parmi les broussailles.

– Et devinez ce qu'il faisait, l'animal ? demanda-t-il aux quelques clients, tous très attentifs à ses dires. Il attrapait des rats !

La mère Sigouin avait poussé un cri de dégoût. Isaac Turcotte la prit à témoin.

– Oui, madame ! Est-ce que c'est pas assez écœurant ? Une bête, je vous dis. C'est pas un homme mais un animal. Sauvage !

La nouvelle fit son chemin, mais plusieurs se moquèrent de Turcotte en invoquant encore une fois les pouvoirs du vin de cerises et de la liqueur de gadelles de sa femme. La semaine suivante, un pêcheur rapporta une histoire semblable, à la seule différence que la scène s'était déroulée à la pointe aux Épinettes cette fois. Le pauvre avait été déporté dans l'anse à l'Orignal et il avait cherché refuge sous les arbres. Le soir était tombé, les mouches à feux lançaient déjà leurs étincelles, quand l'homme avait entendu du bruit... La suite de l'histoire était pareille. Le fils de l'Écossais attrapait des rongeurs, leur fracassait le crâne contre une pierre et les fourrait dans une poche de toile.

À partir de ce jour, le nom resta : désormais, on l'appelait la Bête.

Je savais que Maybel caressait depuis longtemps le projet de l'approcher. Étrangement, ces nouvelles informations ne contribuèrent qu'à fouetter son désir. Elle avait gardé une curiosité d'enfant et une propension fabuleuse pour les jeux d'imagination. Toutes ces années, depuis le débarquement d'Oswald Grant avec son fils et le cadavre de sa femme, elle leur avait inventé des passés, des pulsions, des secrets, des rêves. Maintenant, elle voulait savoir. Que se passait-il dans l'esprit et le cœur de ce jeune homme au visage ravagé qui était malgré tout son premier voisin et n'était sans doute que de quelques années son aîné ?

Il y avait plus. Maybel, comme sa tante, n'avait rien d'une sorcière, mais elle était un peu fée. Elle pressentait les choses. Or, elle avait toujours été attirée par le manoir de l'anse aux Bouleaux. Elle s'était souvent imaginé poussant une des portes ouvragées dont Alban lui avait parlé. Quels mystères dissimulaient-elles ? Parfois aussi, sans qu'elle comprenne pourquoi, elle revoyait dans ses rêves le renard prisonnier de l'enclos, la pauvre bête au regard si triste.

J'espérais encore que mon amie abandonnerait son projet insensé lorsqu'un matin elle me réveilla en lançant de petits cailloux à ma fenêtre. Le jour commençait à peine à se lever. Dans la maison, tout le monde dormait. Et pourtant, elle était là, les yeux hagards, les cheveux en bataille, le manteau de travers. Je courus à la cuisine et la fis entrer.

Elle se jeta aussitôt dans mes bras. J'avais l'habitude de ses débordements, Maybel était d'une intensité étonnante. Pourtant, je ne l'avais encore jamais vue dans un état pareil. Elle finit par s'asseoir, se releva aussitôt pour approcher sa chaise de la mienne et prit mes mains entre les siennes.

– Florence... Mon amie, ma sœur... Écoute-moi, je t'en supplie.

J'étais impressionnée par ce ton grandiose. Je tentai quand même de la calmer avec des paroles sages et sensées.

– Tout doux, la Belle. Oui... Là, c'est mieux. Maintenant, dis-moi ce qui se passe...

– Je l'ai vu, Florence ! éclata-t-elle à nouveau. La Bête !

Elle avait attendu que la lune soit pleine et le ciel dégagé. Elle avait glissé, en canot, jusqu'à la baie des Porcs-Épics avec l'intention d'escalader la montagne Ronde pour voir si la Bête serait là. Sinon, elle irait fouiller la forêt de la pointe aux Épinettes et pousserait même jusqu'au cap Enragé, s'il le fallait. Tant pis pour les menaces de l'Écossais !

Elle avait emprunté un vieux sentier tortueux semé de petites roches couleur de suie, craquantes comme des coquilles d'œufs. C'était un ancien chemin de coupe délaissé depuis qu'un étranger s'était élancé du sommet. On disait l'endroit maléfique. Des hommes avaient rapporté que des vapeurs inquiétantes transpiraient du sol et une fois au sommet, on risquait d'être pris par une étrange ivresse. C'est ce qui serait arrivé au voyageur qu'on avait retrouvé sur la plage, le corps en étoile, bras et jambes écartés, tous ses os broyés. Une fois au sommet, étourdi par des humeurs folles, l'homme se serait cru capable de voler.

Mais Maybel ne se laissait pas impressionner par ces légendes.

– J'ai quitté le sentier pour aller plus vite, raconta-t-elle, le souffle encore court. Je suis montée tout droit, en m'accrochant aux branches dans le gros à-pic. Sitôt en haut, je l'ai vu.

Il se tenait debout sur la crête, son corps massif se détachait dans la nuit bleue. Le vent faisait danser l'écharpe autour de son cou.

– J'ai vu la Bête se pencher, puis se relever, poursuivit-elle. Un rat pendait au bout de son bras. L'animal gigotait encore. J'ai remarqué que la main de la Bête était protégée par un morceau de cuir.

Il s'est penché à nouveau pour fracasser le rat contre le sol. Je me souviens du bruit...

Maybel fit une pause. Elle semblait extrêmement nerveuse.

– J'ai crié, admit-elle d'une petite voix navrée. J'avais peur, Florence. Et j'étais dégoûtée !

William Grant s'arrêta, le bras encore tendu, et il se tourna vers Maybel. Elle vit alors qu'il portait un masque et que des éclairs fusaient de ses yeux.

– Disparaissez ! rugit-il.

Maybel faillit obéir. Elle était morte de frayeur et se maudissait déjà d'être venue. Mais en même temps, quelque part en elle, une petite voix lui commandait de rester. Et de défier la Bête.

Le jeune homme parut surpris de constater qu'elle ne bougeait pas. Il fit un pas vers Maybel et, pour lui faire peur davantage, pour la forcer à partir, il lança le rat à ses pieds.

– Prenez-le ! Il est à vous ! C'est ce que vous vouliez, non ? demanda-t-il avec un ricanement mauvais.

À cet instant, Maybel découvrit qu'elle avait moins peur.

– Il en faisait trop, m'expliqua-t-elle. Il voulait trop que je décampe. Et puis ses yeux... Une fois la colère partie, ses yeux le trahissaient. Il n'avait pas le regard d'une bête dangereuse... ou d'un mangeur de rats.

Maybel était captivée par le regard de cet homme. Il fit un pas de plus. Elle sentit ses jambes ramollir, mais parvint à garder son regard rivé au sien. Un nuage vint voiler la lune. Le vent fit voler un bout d'écharpe. On eût dit un grand oiseau écarlate.

– Vous me faites pas peur, attaqua Maybel en le défiant de ses yeux mauves.

Elle enjamba le cadavre du petit rongeur et s'approcha de la Bête en soutenant son regard. Instinctivement, il cacha le bas de son visage de ses mains.

– Votre masque est bien en place. Inquiétez-vous pas... Je vois rien que vos yeux... et votre écharpe.

– Idiote ! Déguerpissez pendant qu'il est encore temps.

Une brusque colère enflamma Maybel. Elle fit encore un pas. Par défi. Elle se sentait soudain animée par une extraordinaire énergie.

– Ils n'ont pas raison de vous traiter de Bête au village, lui lança-t-elle d'une voix étonnamment ferme. Les vraies bêtes savent mieux vivre que le fils de l'Écossais avec sa face masquée. Je ne sais pas ce que vous faites avec vos rats, mais je m'en fiche royalement. Vous pouvez aller au diable quant à moi.

Elle braquait encore sur lui ses yeux de lavande.

– C'est bien dommage que vous ayez la face ravagée... « Pourrie ! » qu'ils disent au village... Le saviez-vous ? Mais c'est pas une raison pour jouer à l'épouvantail en essayant de faire peur à du monde comme moi qui ne vous voulais pas de mal. C'est méchant ! Et moi, ça m'enrage...

Maybel inspira, encore chargée à bloc, tout à sa fureur. L'écharpe vint fouetter le bas du masque. La Belle eut une brusque inspiration.

— Moi aussi, j'ai perdu ma mère, dit-elle encore. J'avais deux ans... Je ne sais même pas à quoi elle ressemblait. Je n'ai aucun souvenir. La vôtre est partie quand vous étiez juste un peu plus jeune que moi aujourd'hui. Mais j'ai l'impression que vous êtes drapé dans votre malheur comme dans cette écharpe qui devait lui appartenir. Non ? Eh bien... Restez dans votre malheur et continuez de jouer à la Bête si ça vous chante. Moi, ça ne m'impressionne pas.

Maybel fit une pause pour reprendre son souffle. Sa rage tombait comme un vent d'été. Elle se sentait surtout chagrinée par cette rencontre. Elle allait retourner dans son anse et lui dans ses terres privées. Ils resteraient de bien étranges voisins. Maybel ajouta encore, d'une voix moins affirmée :

— Si, un jour, par grand miracle, ça vous chante d'imiter un peu les humains ; si, un jour, ça vous dit de sympathiser, comme on fait d'habitude entre voisins, faites-moi signe. Un grand coup d'écharpe, tiens !

La voix de Maybel s'était brisée sur ces derniers mots. Toute sa fureur l'avait déjà désertée, chassée par une émotion nouvelle. La Bête la contemplait d'un regard douloureux. Maybel se sentait hypnotisée par ces sombres iris où brasillait une mystérieuse lumière.

— J'ai dévalé la montagne en courant, poursuivit-

71

elle. Une fois en bas, j'avais besoin de raconter. Je ne pouvais pas en parler chez moi parce qu'Alban est trop inquiet depuis que le fils de l'Écossais a laissé entendre que son père pourrait rôder dans l'anse. Alors je suis venue...

Elle fit une pause, espérant de moi un sourire pour montrer que j'étais d'accord avec cette visite très matinale. Puis une ombre voila son regard. Elle approcha encore son visage du mien, comme pour me révéler un secret.

– Pendant que je courais sur le sentier de la montagne Ronde, j'ai compris tout d'un coup ce qui m'avait tant frappée dans le regard de la Bête. C'étaient les mêmes yeux que ceux du renard de l'enclos ! Comprends-tu, Florence ? Le même regard. Celui d'un prisonnier !

Je n'étais pas sûre de comprendre ce qui bouleversait tant la Belle, mais elle faisait pitié à voir. La petite sauterelle de l'anse, comme l'appelait Alban, semblait bien affligée. Alors j'entrepris de la consoler en caressant doucement ses cheveux.

– J'aurais pas dû me fâcher, Florence, dit-elle encore pendant que mes mains couraient dans la folle avoine de sa tignasse. J'aurais dû l'apprivoiser. Maintenant, c'est trop tard.

Dans les semaines qui suivirent, je ne vis pas Maybel. Sa tante s'était évanouie en plein champ, une fourche à la main, puis, pendant des jours, elle avait déliré en mouillant sa paillasse de sueur. La fièvre s'était finalement dissipée, mais elle était restée faible et son estomac se rebellait chaque fois qu'elle tentait de s'alimenter.

Béatrice resta alitée deux semaines et il en fallut deux autres pour qu'elle recouvre sa vaillance. Maybel se dépensa beaucoup pour soigner sa tante, faire le train, préparer les repas du Quêteux et de l'engagé, entretenir le potager. Dès qu'elle avait un moment de répit, elle courait aider les hommes aux champs, comme l'aurait fait Béatrice. Pendant deux semaines, elle consacra presque tous ses après-midi à faner le foin qui devait bien sécher avant d'être engrangé. Or, le vent du nord-est souffla sans arrêt cet été-là, charriant avec lui de grosses averses. Il fallait alors tout recommencer. Tourner, retourner, amasser et étendre de nouveau. Ils travaillaient tous de la barre du jour jusqu'aux étoiles.

Une quinzaine de jours après sa rencontre avec la Bête au sommet de la montagne Ronde, Maybel me fit parvenir un message par le fondeur de cuillers qui arrivait de Saint-Fabien en longeant la grève. Il s'était arrêté, comme de coutume, dans l'anse à Voilier.

Ma douce Florence,

Ma tante prend du mieux. J'ai hâte de te revoir. J'ai des mains d'homme : enflées, grafignées, gercées, avec tout plein de petits coussins durs là où j'ai trop forcé. Mais j'haïs pas ça. Je ferais peut-être une bonne fermière ! Les champs sentent bon le trèfle et les framboises.

Je pense à toi souvent,

Maybel

Dès qu'elle le put, Béatrice offrit un congé à Maybel en la chargeant d'aller acheter du sel, de la mélasse et du froment. Elle savait que sa nièce se ferait une joie de venir bavarder avec moi. Mais, ce jour-là, je ne vis pas l'ombre de ma belle amie et Béatrice dut attendre à une autre fois pour le sel, la mélasse et le froment.

Maybel avait couru jusqu'à la grève pour détacher son canot. La mer était calme, en moins d'une heure elle aurait atteint le village. En relevant la tête, sa pagaie sous le bras, elle vit danser un fanion au bout de la pointe aux Épinettes.

– J'ai eu comme un pressentiment, me raconta-t-elle plus tard. L'impression que ce bout d'étoffe flottait pour moi. Au lieu de m'aligner sur le cap Enragé, j'ai fait le détour par la pointe aux Épinettes.

À mesure qu'elle approchait, son intuition se muait en certitude. L'écharpe rouge de la Bête était accrochée à une branche.

Maybel accosta.

Il était là. Avec son masque de cuir, sa crinière au vent et son regard obsédant.

– Ça fait trois jours que j'attends, grommela-t-il en défaisant le nœud de son écharpe.

Maybel jongla un peu avec ces quelques mots. Trois jours d'attente. Mais de quoi ? Soudain, son visage s'illumina et j'imagine bien que la Bête fut éblouie. C'est ce qui arrivait quand Maybel souriait sans avertir.

– Monsieur mon voisin ! s'exclama-t-elle soudain, un peu espiègle, mais tout à sa joie de découvrir qu'il l'avait attendue, elle.

La Bête était figée. Il contemplait la Belle comme si c'était un feu follet. Après des jours de doute et de réflexion, le fils de l'Écossais avait résolu de prouver à Maybel qu'il n'était pas un animal sauvage. Il ne pouvait supporter l'idée qu'elle le juge si mal. Sans cœur, sans tête, sans âme. Il voulait qu'elle sache qu'il n'était pas incapable de frayer avec les humains, même s'il ne le faisait plus. Et parce qu'il était un homme de peu de paroles, il avait, après de longues hésitations, décidé de lui révéler autrement une petite partie de lui. William Grant. Il ne voulait surtout pas qu'elle croie, comme les autres, qu'il n'était qu'une bête chassant d'autres bêtes.

Pendant ces trois jours où il l'avait attendue, du lever au coucher du soleil, sans se soucier des marées, il s'était préparé à diverses réactions. La fille du gardien de l'île Bicquette risquait d'être surprise ou inquiète en l'apercevant. Peut-être aussi ne viendrait-elle jamais, ou encore, pis, peut-être fuirait-elle. Mais, en aucun cas, il ne s'était préparé à l'explosion de gaieté de sa jeune voisine.

Elle l'observait, enchantée par la tournure des événements. Ses yeux, songea-t-elle, sont vraiment beaux. Aussi sombres qu'une nuit sans lune, mais traversés d'ombres et de lumières quand même. Des yeux noirs mouvants. Comme la mer parfois. Sa bouche était presque intacte. Il y avait seulement cette marque, un peu comme une morsure, dans un coin. Mais le reste... On ne pouvait regarder trop longtemps le masque recouvrant tout le visage sous les yeux, ce cuir fin tendu, plissé, poché à certains endroits, sans que l'imagination galope en soulevant des images monstrueuses.

Il dut deviner ses pensées. Combien souvent avait-il subi un de ces regards troublés ou épouvantés, posés sur son visage.

– Cessez ce jeu ou j'enlève le masque ! menaça-t-il d'une voix dure.

Maybel baissa les yeux, honteuse, mais elle reprit vite son aplomb.

– C'est de pas savoir qui est le plus effrayant, expliqua-t-elle gravement. On imagine... le pire.

Le regard de la Bête se brouilla. Il semblait étreint par une profonde tristesse. C'était un spectacle désolant. Maybel fut longtemps hantée par le souvenir de la Bête en ce moment où il semblait vouloir dire que le pire était juste.

– Mais vos yeux sont vraiment très beaux, souffla Maybel, elle-même surprise de son audace.

La Bête resta un moment immobile, la bouche ouverte, abasourdie. Puis il secoua la tête, comme pour chasser ces dernières paroles. Maybel l'observait toujours. Il portait ses cheveux longs. Et ils n'étaient ni blonds, ni bruns, mais les deux à la fois. Fauves.

– Venez ! dit-il, bourru. C'est plus loin... Je voulais vous montrer...

Ils longèrent la grève de l'anse aux Bouleaux. Il avançait à grands pas, sans se rendre compte que

Maybel, qui était beaucoup plus petite, devait courir derrière lui. Lorsqu'ils aperçurent le manoir, il eut la délicatesse de rassurer sa compagne.

– Mon père est parti, vous n'avez rien à craindre, et les domestiques me sont fidèles.

Il avait prononcé ces mots sans suffisance. C'était un fait, simplement.

– Vous parlez comme dans les livres, remarqua Maybel.

Il ne dit rien, mais une lueur de gaieté dansa au fond du regard charbonneux.

Ils traversèrent les terres de l'Écossais pour s'arrêter devant l'île aux Plumes. La flèche de sable qui y menait à marée basse était encore dégagée, mais la mer montait dangereusement.

– Si vous me suivez jusqu'à l'île, là-bas, il faudra ensuite attendre que la marée se retire, prévint-il sèchement.

William Grant ne savait pas encore combien Maybel était curieuse. Rien n'aurait pu l'empêcher d'avancer.

Quelques cormorans abandonnèrent leur refuge sur des crans rocheux alors que Maybel et son guide empruntaient la route de sable. Ils atteignirent ainsi la plage de l'île et, de là, s'engagèrent sur un étroit sentier qui serpentait entre les arbres. Au bout d'un moment, ils parvinrent à une éclaircie, un petit plateau partiellement dégagé, entouré de bouleaux. William Grant s'y était construit une cabane. Maybel comprit alors pourquoi des habitants avaient parfois aperçu un trait de fumée montant de l'île aux Plumes.

En franchissant la porte, elle poussa un cri. La pièce était suffisamment éclairée pour qu'elle voie le petit tas d'os près du poêle de fortune. Devant l'expression ahurie de Maybel, la Bête se sentit forcée d'expliquer.

– Il m'arrive de trouver un animal mort, ou encore trop mal en point pour être soigné. Je garde la carcasse et je fais bouillir les os. Lorsqu'ils sont secs, je reconstruis le squelette.

Maybel n'y comprenait toujours rien. Avec un brin d'impatience, il poursuivit l'explication.

– Ça m'apprend comment les pattes d'un renard ou d'un lièvre se replient et comment vole une gélinotte. Après, j'ai plus de facilité à immobiliser une aile ou fixer une attelle.

Il fouilla dans un sac et en extirpa le cadavre d'un rongeur. Puis, sans se soucier de la réaction de Maybel, il sortit en emportant la bête morte.

Lorsque Maybel le rejoignit dehors, il se tenait debout bien droit au milieu de l'éclaircie, un bras tendu vers l'horizon. De loin, on aurait dit un épouvantail éclopé. Sa main offerte était gainée de cuir, comme cette fois où Maybel l'avait vu chasser le rat.

– Ça peut prendre un moment, l'avertit-il.

Des mouettes survolèrent l'île. Puis une nuée de goélands. La Bête attendait. Soudain, un son étrange, comme un appel, sortit de sa bouche.

– HOU... HOU. HOU... HOU. HOU... HOU.

Il attendit, répéta les cris à la même cadence, attendit encore. Maybel gardait les yeux rivés sur lui. Elle eut soudain l'impression que ses lèvres s'étiraient, que le cuir du masque se tendait. À croire qu'il souriait. Au même moment, elle perçut le froissement d'ailes. Un oiseau de proie apparut dans le ciel argenté. Il planait juste au-dessus d'eux, décrivant de larges cercles en inspectant les lieux.

Instinctivement, Maybel recula. L'oiseau fondit sur la Bête.

Maybel avait craint que l'oiseau n'attaque le jeune homme. Au lieu, il se posa sur la main gainée. C'était un grand duc, un magnifique rapace, encore trop petit pour être mature. Maybel contempla les longues griffes acérées et crochues, le bec redoutable, prêt à broyer sa proie, et les yeux jaunes, liquides.

La Bête observait l'oiseau d'un regard attendri. Il ramena vers lui la main qui servait de perchoir. Puis, lentement, le masque de cuir s'approcha du manteau de plume qu'il creusa doucement. L'oiseau inclina un peu la tête et son bec disparut dans la crinière de la Bête. Maybel n'osait plus respirer.

Ils restèrent un moment immobiles. William Grant offrit ensuite le petit rongeur à l'oiseau qui l'avala d'une traite. Le grand duc ne semblait pas vouloir fuir. Il attendit que la Bête lève le bras, dans un geste qui paraissait destiné à le pousser vers le ciel. Alors seulement, il ouvrit les ailes et s'élança.

– Voilà ! dit simplement la Bête en se tournant vers Maybel.

Ce qu'il vit alors le renversa. Peut-être même que ce bref instant changea le cours des événements.

Maybel pleurait. Elle était bouleversée. Elle n'était pas sûre de comprendre pourquoi, mais des larmes roulaient sur ses joues. C'était peut-être à cause de cet instant où le cuir fin du masque avait touché la forêt de plumes sombres. Ou lorsque le bec crochu s'était enfoui dans la crinière fauve. Ce spectacle lui avait paru infiniment grave et beau. Il semblait appartenir à un monde fantastique, mystérieux, nouveau dont la Bête seule connnaissait le fonctionnement et les lois.

Ils ne dirent rien. La mer était haute. En attendant qu'elle se retire, il lui fit visiter son île. Les canards nicheurs étaient retournés à la mer, mais le vent n'avait pas encore dispersé toutes les plumes dans les nids abandonnés. Parfois, la Bête se penchait et, du bout des doigts, effleurait un nuage de duvet. Lorsqu'ils pénétrèrent dans la forêt, Maybel se mit à parler de son père et de l'île Bicquette dont il n'était pas encore revenu. Elle était fière de dire que, là-bas, c'est par milliers qu'on comptait les nids des canards à duvet.

– C'est comme une immense couverture grouillante à la grandeur de l'île ! Ça remue sans arrêt et il y a toujours des bouts d'ailes et des petits becs qui dépassent un peu partout.

Maybel avait cette capacité de parler aux autres

comme à elle-même, s'exprimant à haute voix, sans se demander comment ses paroles seraient reçues. Le fils de l'Écossais marchait devant, le pas toujours aussi vif, mais elle avait réussi à s'y habituer.

– Ce qui me chicote, dit-elle soudain, c'est l'allure des femelles. Elles sont tellement ternes... c'est décevant. Quand les mâles arrivent... là, c'est beau ! Je trouve ça un peu triste que le bon Dieu se soit tant forcé pour eux et si peu pour les femelles...

Il s'était arrêté pour l'écouter. Elle leva les yeux vers lui, soudain inquiète de ce qu'il penserait de son babillage. Mais il l'observait avec bienveillance, attentif à sa réflexion.

– Les mâles épatent, dit-il, toujours grave. Nos yeux sont tout de suite attirés par leur plumage. Ces grandes taches noires qui contrastent avec le blanc éclatant... et cette parure à leur cou... bien sûr que c'est beau. Mais le plumage des femelles est plus...

Le vent agita les feuilles des bouleaux pendant que le fils de l'Écossais cherchait le mot juste.

– Émouvant ! Le bon Dieu, comme vous dites, leur a donné un habit de camouflage qui leur permet de se perdre dans la pierre et le sable. Si elles attiraient l'œil, leurs petits ne vivraient pas longtemps. Déjà que les goélands dévorent la moitié des œufs et, pourtant, les femelles s'affament à faire le guet.

Maybel dut paraître surprise.

– Votre père ne vous a pas expliqué que, pendant tout le mois de la couvée, les femelles arrêtent de manger ? Par sacrifice. Parce qu'elles savent que les goélands, noirs comme argentés, sont sans pitié. Ils guettent sans cesse dans l'espoir qu'une femelle quittera enfin son nid pour aller se gaver de moules bleues. Ils n'attendent que ça pour attaquer. Alors les femelles se privent, elles doivent bien perdre la moitié de leur poids. Elles se lèvent seulement pour boire un peu quand les goélands sont occupés ailleurs, et si le ciel est trop rempli d'oiseaux gourmands, elles se passent d'eau également.

À l'île Bicquette, Maybel avait vu des femelles seules dans leur nid désert alors que toutes les autres avaient gagné la mer avec les canetons.

– Celles qui restent... après... quand tous les autres sont partis, c'est parce qu'elles n'ont pas assez bu ? demanda-t-elle.

– Oui. Elles meurent dans leur nid. Leurs petits réussissent souvent à atteindre la mer et alors ils sont sauvés. D'autres femelles s'en occupent.

Ils avancèrent à nouveau en silence. Lorsque Maybel comprit qu'ils se dirigeaient vers la grève, elle suggéra qu'ils grimpent plutôt vers le nord, jusqu'au sommet des falaises au bout de l'île. Elle lui expliqua les règles du jeu qu'elle s'était inventé.

– Il faut grimper jusqu'au sommet d'une montagne qui donne sur des falaises ou sur une paroi très à pic. Une fois en haut, on avance le plus loin possible, en gardant le corps bien droit. Là, il faut pencher la tête et regarder le vide. Droit dans les yeux ! C'est une manière de parler... Quand j'ai la tête au-dessus du vide, comme ça, mes mains sont mouillées et j'ai le cœur qui tremble. Je meurs de peur au fond... mais j'aime ça ! C'est dur à expliquer. Je me sens tellement forte que c'est excitant. J'ai l'impression d'être... monstrueusement vivante !

Maybel se mordit la lèvre. Elle avait, comme ça, des façons étonnantes de dire et de décrire. Il ralentit un peu le pas et Maybel l'entendit répéter, comme pour lui-même : « monstrueusement vivante ».

Elle insista.

– Venez ! On a le temps...

Il l'ignora et poursuivit vers le rivage. La mer avait commencé à déserter la plage. Ils réussirent à déterrer des clams qu'il fit ouvrir sur un feu de grève. Là où ils étaient, ceux qui naviguaient au nord de l'île ne pouvaient les voir. Maybel, qui avait toujours faim, dévora plus que sa part de coquillages. Puis ils s'étendirent, à bonne distance l'un de l'autre, pour voir les nuages défiler au-dessus de leur tête. Maybel adorait y reconnaître des formes et en observer les métamorphoses alors que les nuages s'effilochent pour renaître autrement.

– Regardez ! cria-t-elle soudain, fière de sa découverte. Là-bas... des lions galopent. Et derrière eux, de grands chevaux perdent leurs ailes.

Maybel s'était tournée vers son compagnon. Elle remarqua que les cordons du masque avaient dû se détendre. Le cuir avait glissé un peu, révélant le début d'un cratère au milieu du nez. Elle détourna promptement son regard.

Le sommet des montagnes était rose lorsqu'il la reconduisit à la pointe aux Épinettes. Depuis la flèche de sable de l'île, ils n'avaient pas échangé une parole. Il portait toujours l'écharpe rouge enroulée à son cou.

– Je vais leur expliquer pour les rats, promit Maybel avant de repartir.

– Je vous le défends ! s'écria-t-il, horrifié par cette perspective.

– Mais il faut ! Sinon ils vont continuer à parler de vous comme d'une bête. Ils comprendraient... Même que je suis sûre qu'ils seraient pas mal impressionnés par ce que vous faites...

Il s'approcha. La peur dilatait ses prunelles. Encore une fois, Maybel se sentit dépassée.

– D'accord. Je ne dirai rien, murmura-t-elle.

Elle aurait dû détacher sa barque et repartir. Mais quelque chose l'en empêchait. Elle avait du mal à digérer sa promesse. Ne rien dire... c'était idiot.

– N'empêche que c'est fou de se cacher comme ça, lança-t-elle finalement. Vous n'avez pas la lèpre quand même ! Ce qu'il y a en dessous du masque, ce n'est pas contagieux...

Il avait perçu son hésitation. Maybel ressentit une bouffée de honte, mais l'indignation prit rapidement le dessus.

– Tout ça, c'est la faute de l'Écossais ! explosa-t-elle. C'est pas un père que vous avez, c'est un gardien de prison. Ça fait des années qu'il vous garde caché. Pas vrai ? C'est pas normal, ça. Et que vous ayez la face trouée ou pas, ça ne change rien. Il a pas le droit de faire ça. Mais à votre âge, il me semble que ça serait le temps de vous dégrouiller un peu. Sortez de votre prison ! Il n'y a pas que l'île aux Plumes par ici. Il y a un village derrière. Et d'autres encore plus loin. Il y a toutes sortes de gens là-bas, c'est sûr... mais on en trouve qui sont... merveilleux ! J'ai une amie, Florence...

— Partez ! l'interrompit-il d'une voix sourde.

Maybel sentit son pouls s'arrêter.

— Comme si j'avais reçu une décharge en plein cœur, me confia-t-elle plus tard.

Elle le fusilla de ses yeux mauves. Il soutint son regard. Sans le vouloir, sans le savoir, elle avait franchi un couloir secret, poussé une porte défendue. Il était redevenu la Bête. Une créature inquiétante. Fermée. Inaccessible.

Elle poussa son canot dans l'eau, sauta à l'intérieur et se mit à pagayer furieusement. Une fois, seulement, elle se retourna. Il était toujours là, debout sur la plage envahie par les mouettes et les goélands. Elle aurait voulu qu'il disparaisse, mais il semblait cloué à la grève.

Alors elle cria :

— Restez-y dans votre prison ! Mourez-y dans votre prison !

Puis elle fila tout droit vers l'anse, sans regarder derrière.

Souvent, pendant l'hiver qui suivit, Maybel s'accusa d'avoir tout gâché. Elle s'imaginait qu'en d'autres circonstances la Bête aurait pu devenir son ami.

– Si seulement j'avais su dompter mes ardeurs. Encore une fois, je n'ai pas réfléchi... Je l'ai brusqué. Il a pas dû aimer que je parle en mal de son père. En plus, je suis allée dire qu'il avait la face trouée ! Quand j'y pense ! C'est bien assez pour qu'il soit fâché, non ?

Parfois aussi, elle se souvenait des bons moments de sa journée avec la Bête.

– Tu aurais dû l'entendre, Florence. Un vrai savant ! Il en connaît des choses ! Et il parle comme dans les livres. J'aurais aimé pouvoir l'écouter encore...

Je riais.

– Toi ? Écouter ? Mais tu parles tout le temps ! J'ai de la misère à imaginer quelqu'un qui placerait plus de trois mots pendant que toi t'en déballerais cent.

Inévitablement, Maybel parlait des yeux de la Bête. Ce même regard que le renard. Et du masque.

– Je me demande si c'est vraiment aussi horrible qu'on imagine en dessous... Je me demande ce qu'il ressent et à quoi il pense quand il croise son reflet quelque part. Penses-tu qu'il y a des miroirs au manoir ? Penses-tu qu'il enlève son masque quand il est là-bas ? Le jour où Alban l'a vu, tu sais... je t'ai raconté... quand il était roulé en boule sous des peaux de loups-marins près du parc à renards... Il avait enlevé son masque. Et il gémissait. Peut-être qu'il a mal. Sous le cuir. Peut-être qu'il souffre...

Cet hiver-là, François Bouvier prit l'habitude de s'arrêter au magasin plusieurs fois par semaine, même s'il n'avait rien à acheter. Sa peau était restée hâlée par les longs mois en mer. Il avait un rire franc et de l'énergie à revendre. Il n'allait jamais rejoindre les hommes qui jouaient aux dames tout au fond. François Bouvier ne tentait même pas de dissimuler qu'il venait pour moi. Tout le monde le savait déjà.

Il appréciait son métier de pilote, mais répétait souvent qu'il avait besoin de voir du pays.

– J'aime la route, disait-il. Les chemins de terre comme les chemins d'eau et aussi les chemins de fer...

Un jour, il m'apprit qu'il partait pour le chantier.

– La maison chez nous est bien équipée, dit-il. Tout le bois d'hiver est coupé. Et mon père est vaillant. Je n'ai pas d'inquiétude à partir. Je serai seulement triste de ne plus vous voir, ajouta-t-il en rougissant.

Depuis plusieurs saisons déjà, il économisait pour aller vers l'ouest. Afin de gagner plus, il abattrait des arbres jusqu'au printemps.

– Il y a beaucoup à apprendre et beaucoup à faire là-bas, vers l'autre mer, racontait-il avec le ton de celui qui aime convaincre. La Compagnie de la baie d'Hudson recrute encore. Et puis, un jour, un

chemin de fer va toucher aux deux océans.
Pensez-y, mademoiselle Florence. Ce ne serait pas
merveilleux de participer à cette grande aventure ?
Ce que je trouvais surtout beau, c'était de le voir,
lui. Et de l'écouter. François Bouvier était bourré
de rêves et son enthousiasme était contagieux.
Lorsqu'il parlait de projets et de chemins nouveaux,
on avait envie de le suivre jusqu'au bout du monde.
Il n'avait pas encore clairement discuté d'avenir
avec moi, mais c'était tout comme. Je devinais qu'il
attendrait après la prochaine saison de pilotage afin
de pouvoir montrer à mon père qu'il n'avait pas
les poches vides. Parfois, je me laissais aller à rêver
de mariage.
   – Pas l'été qui vient mais l'autre. Peut-être...
confiai-je à Maybel.
   Cette perspective lui arrachait des cris de joie.
Elle avait l'âme romantique et n'avait rien perdu
de son exubérance. Elle voulait tout savoir de mes
sentiments et je dois admettre que cet hiver-là,
Maybel m'écouta souvent.
   J'étais déjà amoureuse de François Bouvier.
Mais, alors que Maybel aurait voulu que l'amour
me transporte et m'enchante, j'étais souvent
envahie par le doute. Pour tout dire, j'avais peur.
Pas de François Bouvier, mais de moi. Aimer me
semblait déjà une aventure tellement audacieuse et
voilà qu'il fallait envisager la perspective d'aimer
toujours. Pour le meilleur et pour le pire. Dans la
joie comme dans la douleur. Deux fois déjà, j'avais
entendu les vœux qu'échangent des époux. Un

jour, bientôt peut-être, j'aurais à promettre devant Dieu d'aimer François Bouvier jusqu'à ce que la mort nous sépare. Et ça m'affolait.

Un dimanche, alors que nous étions installées sur mon lit, comme à l'habitude, j'ouvris mon cœur à Maybel qui s'inquiétait de mes humeurs.

– Bien sûr que je l'aime ! me défendis-je. Mais comment savoir, hors de tout doute, que j'ai le cœur assez bon, assez fort, pour l'aimer toujours, quoi qu'il advienne. Même vieux. Même malade. Même loin. Tu sais comme moi qu'il a la bougeotte, ce qui fait que ça ne sera peut-être pas toujours facile. Tu me vois, avec ma marmaille, et ce grand diable qui veut encore découvrir du pays ? Parfois aussi, je pense à la Bête. Si, du jour au lendemain, François Bouvier était défiguré, s'il m'arrivait d'un de ses voyages, la face trouée, ravagée, « pourrie » comme ils disent, est-ce que je l'aimerais encore tout autant ?

Maybel buvait mes paroles. Mes réflexions sur l'amour la touchaient profondément. Et puis, bien sûr, j'avais parlé de la Bête...

– Tu vois, la Belle, j'ai surtout peur de ne pas être à la hauteur. C'est grave d'aimer. On chamboule complètement la vie de quelqu'un. J'aime François Bouvier. C'est sûr. Et pas seulement comme un ami ! Je le regarde et je me sens fondre. Le soir dans mon lit, cent fois déjà... non, plus encore... j'ai imaginé qu'il s'approchait doucement de moi et que ses lèvres touchaient les miennes. Le cœur me débat rien que d'y penser et parfois, pendant qu'il me parle, je rougis pour rien en regardant ses lèvres bouger. J'aime François Bouvier, mais j'ai peur, Maybel. Si tu savais comme j'ai peur...

Maybel me dit alors ce que j'avais besoin d'entendre. Elle fouilla dans son cœur et dans son intelligence pour trouver les mots justes, des paroles vraies et clémentes. Des phrases qui apaiseraient enfin les tempêtes dans mon ventre.

– Ma mère à moi n'a pas été capable d'aimer mon père plus qu'une saison, dit-elle, la gorge nouée par l'émotion. Je n'ai pas de souvenirs d'elle, mais quelque chose me dit qu'elle ne s'est pas inquiétée longtemps avant de dire oui devant l'autel, à deux pas d'ici. Je la juge pas. Mais toi, Florence, c'est différent. Tu m'inquiètes pas. M'entends-tu ? Pas une miette ! J'ai idée que tes craintes ont la même taille que ton amour. Et la même qualité. C'est pas de la petite étoffe ça. C'est quelque chose de rare, et de précieux. Je pense pas que toutes les femmes se grignotent le cœur comme tu le fais avant de dire oui. Ton oui à toi, ma Florence, il va être tellement fort, tellement beau, tellement... retentissant que le bedeau aura beau se crever à faire sonner les cloches, ton oui va tout enterrer. Attends de voir !

Je pleurais comme une enfant. Maybel prit mes mains dans les siennes. Elle caressa tendrement le dos de ma main droite, la tourna dans sa paume et glissa son index sur les deux grandes lignes qui dessinaient une croix au creux de ma main.

– Tu sais ce qui est écrit, là ? C'est écrit que t'as plus à t'inquiéter. Tu l'as déjà bien assez fait. Quoi qu'en pense le curé, personne peut jurer de l'avenir. Mais si j'étais François Bouvier et que j'avais le choix de toutes les femmes de la Terre, je n'hésiterais pas deux secondes. Je prendrais Florence Ménard et je bénirais le ciel de m'avoir fait un aussi beau cadeau.

Elle me couvait d'un regard fervent et il y avait tellement de conviction, tellement de lumière dans son visage, que je ne pouvais pas m'empêcher de la croire. La Belle avait raison depuis le début. J'allais épouser François Bouvier. Et l'aimer jusqu'à ce que le bon Dieu nous sépare.

Maybel ne parlait plus de William Grant. Pourtant, je devinais qu'elle pensait souvent à lui. Pendant l'été, j'étais allée en bateau jusqu'à l'anse à Voilier. De la ferme d'Alban Collin, on ne pouvait ignorer le cap Enragé. C'était une masse inquiétante, d'apparence redoutable. Une forêt dense, coupée nette par des falaises sombres que la mer grugeait avec férocité. Maybel n'avait sûrement pas oublié le jeune homme masqué qui habitait l'imposant manoir construit dans l'anse derrière le cap Enragé.

L'Écossais et son fils continuaient d'ailleurs d'alimenter les conversations. Oswald Grant chassa peu cet hiver-là, mais il vint souvent au magasin. C'était, de loin, notre meilleur client. Il avait besoin de tout puisqu'il n'exploitait rien.

– Tu parles d'un gaspillage ! fulminaient les vieux. La plus belle et la plus grande terre qui profite à personne. On se demande ce que font les serviteurs dans cette grosse cabane. Payés à se tourner les pouces ! Et le fils dans tout ça ? La face pourrie ne sait rien faire ? Ils achètent leur bois, leur lait, leur pain, et puis la viande et toute l'étoffe. Ils paient même la nourriture des chevaux. C'est simple, il y a que l'argent qui sort de ce domaine-là.

L'Écossais passait moins souvent à la poste l'hiver, mais pendant tout l'été il y avait cueilli de nombreuses caisses, parfois venues de l'autre bout du monde. Oswald Grant vivait richement. Il recevait du whisky d'Écosse, de l'alcool de genièvre d'Angleterre et des vins de France. Ces informations étaient imprimées sur les caisses, mais de toute manière l'Écossais ne s'en cachait pas. Il buvait beaucoup. On l'avait souvent vu tirer une bouteille de sa poche.

Cette année-là, une tempête atroce déferla sur la côte la veille du mardi gras. Des arbres tombèrent, des toits furent endommagés et des fenêtres volèrent en éclats. Les routes furent impraticables pendant plusieurs jours. Le mauvais temps annula ainsi les dernière réjouissances d'avant le carême. L'hiver fut encore marqué par deux naissances, un décès, une corvée de réparation et une engueulade du diable entre deux marguilliers. Puis vint la mi-carême. Cette fois, tout le monde était bien décidé à en profiter.

La Belle était resplendissante ce soir-là. Je l'avais

forcée à enfiler une robe trop petite pour moi et un châle qui accentuait la couleur de ses yeux. Guillaume, mon frère aîné, paraissait totalement envoûté par elle. Rentré depuis peu des chantiers pour aider mon père au moulin de la Price, Guillaume n'avait jamais qu'entrevu la Belle. Et voilà qu'il la découvrait, « belle comme c'en est presque péché ». J'avais déjà entendu quelqu'un parler de mon amie en ces termes et j'imaginais bien Guillaume la percevant ainsi. Maybel dansait tout le temps, sans jamais paraître fatiguée, les yeux pétillants et le cœur en fête.

– Une vraie diablesse, ton amie ! me chuchota Guillaume à l'oreille.

Je me souviens d'avoir ri en songeant que c'était une bien étrange petite sauterelle en tout cas.

Pauvre Guillaume ! Maybel l'avait à peine remarqué. Elle avait déjà dansé avec son père et le mien, avec mes deux jeunes frères qui l'adoraient, et avec le Quêteux, tout à sa joie de marteler le plancher en poussant des grognements et sans jamais tenir compte de la musique. Guillaume rôdait, de plus en plus impatient. Un autre jeune homme venait de s'approcher de Maybel lorsque Guillaume se décida soudain. Il se précipita vers elle, l'enlaçant un peu cavalièrement, et il l'entraîna avec lui avant même que l'autre jeune homme ait le temps de comprendre ce qui venait d'arriver.

Béatrice était venue. Nous avions réussi à l'apprivoiser un peu. Nos regards se croisèrent pendant que Guillaume et Maybel virevoltaient. La tante de Maybel ne semblait pas apprécier les manières de mon frère. Et moi non plus d'ailleurs. Mais Maybel ne parut pas s'en offenser. Trop heureuse de danser, elle n'avait pas remarqué la brusquerie de son cavalier.

Peu après la mi-carême, il y eut un redoux suivi d'une grosse vague de froid. Les routes étaient des miroirs glacés. Les bêtes se plaignaient dans l'étable. L'eau gelait dans les auges. Chaque tâche devenait un exploit. Quiconque devait braver le froid pour nourrir les bêtes ou ramener du bois risquait les morsures du vent. Des bouts d'oreille et des doigts de pied furent brûlés par le froid.

Puis vint la poudrerie. La neige brouilla l'horizon, effaça les montagnes, les baies, les anses. Un vaste paysage disparut dans une mer de poudre blanche pendant qu'un silence étouffant enterrait tout. Même les oiseaux les plus fidèles, mésanges, jaseurs et sittelles, semblaient avoir déserté. Quinze jours durant, je ne vis pas Maybel.

La tempête aviva des souvenirs en elle. Emprisonnée dans son anse, Maybel songeait souvent à la Bête sur l'autre rive. Une nuit, elle fit un rêve étrange. La Bête marchait devant elle sur le sentier de son île. Il paraissait immense. Parfois, il se penchait et Maybel était émerveillée de le voir caresser avec des gestes presque tendres le duvet d'un nid abandonné. Soudain le vent enfla et une nuée de plumes emplit le ciel noir. C'était magique. Toutes ces plumes qui flottaient, tourbillonnaient, virevoltaient... La Bête disparut tout à coup, comme aspirée par ce brouillard de duvet. Maybel entendit alors un cri déchirant. La Bête gémissait et le son qui sortait de sa bouche ébranlait les falaises et affolait les oiseaux.

Béatrice s'éveilla aux cris de Maybel. La vieille sorcière, comme on l'appelait, trouva vite la manière de se frayer un chemin jusqu'au cœur de sa nièce. Cette même nuit, Maybel lui raconta tout, depuis le renard de l'enclos jusqu'au grand duc apprivoisé.

– Quand je pense à la Bête... à lui, William Grant, j'ai le cœur qui cogne, admit-elle. L'idée qu'il soit prisonnier me révolte. Et, en même temps, j'ai de la peine pour lui.

– Es-tu bien certaine qu'il soit prisonnier ? demanda calmement Béatrice. Les prisons sont rarement là où on croit. Penses-tu que ton père est prisonnier dans son phare ? C'est ici, sur sa terre, à ciel ouvert, qu'Alban est en prison.

Maybel réfléchit longuement à ces paroles. Elle comprenait pour Alban, mais elle avait du mal à imaginer Oswald Grant autrement qu'en geôlier. Et à ses yeux, le fils vivait dans un enclos comme jadis les renards.

Malgré tout, Maybel se décida à lui expédier un message.

« À William Grant », écrivit-elle en ajoutant presque tout de suite, « dit la Bête », un peu par audace mais aussi par franchise, parce que c'est ainsi qu'on l'appelait. Tout simplement.

J'ai pour vous de l'amitié. C'est pour ça que je m'inquiète à l'idée que vous soyez prisonnier. J'ai peut-être inventé des barreaux là où il n'y en a pas. C'était sans malice. Pardonnez-moi.

À bientôt peut-être ?

Votre voisine.

Maybel roula son message, l'enveloppa dans un morceau de cuir et l'attacha à un lambeau d'étoffe blanche, symbole d'armistice. Dès le premier jour de beau temps, elle longea la grève en s'enfonçant parfois jusqu'à mi-cuisse dans les bancs de neige folle sculptés par le vent. Elle parvint ainsi à atteindre la pointe aux Épinettes où elle noua son fanion à une branche.

Les jours suivants, la neige recommença à fondre lentement. Alban épiait les étoiles, prédisant qu'à la prochaine nouvelle lune la banquise se détacherait d'un coup, dans un grand fracas.

— Le printemps va nous arriver du jour au lendemain. Vous allez voir ! annonçait-il, heureux de cette perspective.

Un matin, Maybel s'éveilla avec des fourmis dans les jambes. C'était une belle journée de soleil et de vent. Le ciel était d'un bleu étourdissant. Après s'être occupée des bêtes, elle voulut grimper le cap à l'Orignal. Elle avait besoin de bouger et de voir du pays ce jour-là. À mi-sommet, elle s'arrêta sur un petit surplomb. De là, on voyait défiler les baies, les caps et les anses. Maybel adorait ce panorama. Le souffle court, le cœur battant, elle dévora le paysage. Lorsqu'elle fut un peu rassasiée, elle ferma les yeux pour mieux profiter de l'ivresse du moment. Elle inspira profondément, goûtant avec joie l'air encore vif, gorgé de soleil et de printemps. En ouvrant les yeux, elle vit l'écharpe rouge battue par le vent tout au bout de la pointe aux Épinettes.

Elle redescendit d'une traite, la gorge sèche et les oreilles bourdonnantes, puis elle longea la grève jusqu'à l'islet aux Canards où elle entreprit de traverser la banquise en visant la pointe où dansait le fanion de la Bête.

Le temps s'était couvert. Des nuages poudreux flottaient au sommet du cap Enragé. Le soleil disparut soudain. Maybel se retourna. Un troupeau de nuages masquait l'horizon, liant le ciel à la mer glacée. Et loin derrière, vers Saint-Fabien, une ombre grise, gigantesque, avalait tout le bleu du ciel. La masse sombre s'effilochait à la base. On aurait dit un corbeau géant traînant son aile frangée sur les crêtes.

Maybel tourna les talons et hurla de frayeur. La Bête était devant elle. Il avait dû guetter, dissimulé derrière l'islet. D'abord irritée, Maybel s'adoucit en observant son visiteur. Enveloppé dans un long manteau noir, son masque collé au visage, il la contemplait d'un regard triste, visiblement navré de lui avoir fait peur.

– Je voulais vous éviter de traverser jusqu'à la pointe, dit-il d'une voix rauque. Ce que j'ai à vous montrer est par là.

Sa main désignait la montagne Ronde. Ils attei-

97

gnirent la côte sans avoir prononcé un mot. Alors, seulement, la Bête se retourna pour observer Maybel avant d'entreprendre l'ascension de la montagne Ronde.

Il avançait d'un pas sûr parmi les arbres alors même que rien ne balisait cette route qu'il semblait improviser. Ils avaient traversé plusieurs sentiers d'animaux et Maybel avait remarqué à quelques reprises de profonds sillons dans la neige, un peu comme si la forêt avait été labourée en plein hiver. Maybel découvrit aussi que la végétation avait été broutée, toujours à la même hauteur.

Elle aperçut bientôt une clairière, plus loin, derrière les arbres. La Bête se mit à progresser plus lentement et Maybel accorda son pas à celui de son guide. Il s'arrêta soudain et attendit qu'elle le rejoigne.

— Quand je lèverai le bras, arrêtez-vous, chuchota-t-il. Installez-vous confortablement et ne bougez plus.

Il fit comme il avait dit. Après avoir atteint une faible dépression, il leva le bras. Maybel s'adossa à un grand pin et attendit. Il avança encore de quelques pas. Sans bruit.

Des têtes émergèrent alors parmi les broussailles, un peu plus bas. De longues oreilles fines. Des naseaux frémissants. Des yeux tendres et doux. Le fils de l'Écossais avait mené Maybel à un ravage de chevreuils.

Les animaux durent reconnaître son odeur. Ils restèrent couchés dans la neige, le cou relevé, les oreilles dressées, au guet. La Bête attendit qu'ils s'habituent à lui. Alors, seulement, il s'assit dans la neige, sortit des pommettes gelées de ses poches et les éparpilla autour de lui.

Les chevreuils firent d'abord comme s'ils n'avaient rien vu. Puis, peu à peu, les museaux se tournèrent vers la Bête. Un premier cerf se releva tranquillement, marqua une longue pause, puis avança vers l'intrus en creusant la neige. D'autres suivirent. Le fils de l'Écossais fut bientôt encerclé par une demi-douzaine de chevreuils se régalant des petits fruits qu'il avait apportés.

C'était une bête parmi les bêtes. Et cela n'avait rien d'inquiétant. Le spectacle était, bien au contraire, fort réjouissant. Pendant combien d'heures, combien de jours, William Grant avait-il parcouru la région avant de trouver la trace des chevreuils ? Pendant combien d'heures, combien de jours, avait-il guetté en silence, acceptant la défaite chaque fois que les bêtes détalaient en reniflant son odeur, leur queue dressée comme un fanion bondissant dans la forêt ?

Et puis, un jour, les chevreuils n'avaient pas réagi à son odeur. Il n'avait rien tenté cette fois-là, pour ne pas les brusquer. Mais il était revenu, les poches remplies de fruits encore gorgés de sucre, et il les leur avait offerts, sans rien demander en échange que le droit de se faire oublier. De rester là, une simple bête parmi les bêtes.

Maybel émergea de ses songeries. Un jeune chevreuil broutait le manteau de la Bête. Elle crut percevoir un gloussement. Les autres animaux étaient repartis. Le petit levait vers la Bête de grands yeux implorants. Alors William Grant plongea une main dans sa poche et en ressortit une pommette fripée. Le cerf s'empara du trésor et s'enfuit.

Maybel marcha jusqu'à son guide et lui tendit la main, pour l'aider à se relever. Elle était contente d'être venue. Non seulement parce que le spectacle l'avait fascinée, mais parce qu'elle avait l'impression de mieux le connaître. Lui. Or, il semblait si grave, tellement pénétré par la grâce du moment, que cela éveilla en Maybel un désir de gaieté.

Il avait accepté sa main. Elle allait tirer mais, au lieu, elle lâcha prise au moment même où il se laissait aider. Maybel s'esclaffa lorsqu'il retomba lourdement dans la neige et elle se sauva en courant, des rires plein la gorge.

Plusieurs fois, elle se retourna. Elle aurait voulu qu'il coure lui aussi. Peut-être aurait-elle tenté de le faire tomber à nouveau. Et peut-être bien qu'enfin − oh miracle ! − il aurait ri. Mais il se contenta de la suivre de loin. Arrivée à la banquise, elle l'attendit. Son cœur galopait encore, elle était épuisée et elle avait faim.

Ils étaient chacun à égale distance de leur demeure. Il allait marcher en direction du cap Enragé, et elle vers l'anse à Voilier. Maybel découvrit tout à coup qu'elle n'avait rien dit depuis qu'il avait surgi derrière l'islet. « Un vrai miracle », songea-t-elle, un brusque sourire illuminant son visage. Il la scrutait d'un air grave, effaré par ce sourire soudain. Pour William Grant, Maybel était un mystère vivant.

L'air se chargea de flocons légers, aussitôt tourmentés par le vent, si bien qu'on eût dit qu'au lieu de tomber la neige volait à petits coups d'ailes, comme si des milliards d'oiseaux minuscules avaient envahi le ciel. Un soleil blafard tentait de percer l'écran de neige en parvenant tout juste à l'éclairer de reflets mouvants.

Maybel se remémora son rêve. La Bête avalée par une tempête de plumes. Et l'écho de son cri désespéré au loin.

— Pensez-vous que les chevreuils sont prisonniers de leur ravage ? demanda la Bête soudain.

Maybel refusa de répondre. Elle n'osait plus décider de ce qui est prison et liberté.

— La semaine dernière, j'ai joué à votre jeu, poursuivit le jeune homme. Mais il ne m'a pas plu. Quand je vois le vide devant moi, depuis le sommet d'une montagne, je n'ai pas envie de m'avancer. La vie est trop précieuse...

Maybel haussa les épaules. Il l'agaçait maintenant. Elle aussi, bien sûr, trouvait la vie précieuse. C'était là tout le plaisir ! C'est pour ça qu'elle avait les mains moites et le cœur qui galopait en regardant en bas.

— J'ai inventé un autre jeu, dit-il encore. Une sorte de course aux trésors.

Maybel était tout oreilles. Il fit une pause, comme

s'il avait besoin de soupeser chaque mot avant de poursuivre.

– J'ai dix merveilles à vous faire découvrir. Le ravage en était une.

– Et, à la fin, qu'est-ce qu'on gagne ? demanda Maybel, amusée.

– Mon cœur ! dit la Bête d'une voix bourrue où perçait la rancœur.

Maybel sentit des frissons rouler dans son dos. Par bravade, elle darda sur le fils de l'Écossais ses yeux mauves. Il parut regretter sa rudesse et poursuivit sur un ton plus aimable :

– Vous gagnez des tableaux, des souvenirs, des perceptions... Des émotions peut-être. Mes dix trésors sont autant de raisons pour vous convaincre que je ne suis pas en prison. Mon père s'oppose à ce que je voie des gens ou, plutôt, à ce que des gens me voient. C'est vrai. Vous devinez pourquoi... Mais je pourrais faire à ma guise. Si j'accepte, c'est parce que je souhaite moi-même qu'il en soit ainsi.

Il marqua une pause avant d'ajouter :

– Vous êtes... l'exception.

– Ah ! bon. Et comment je vais faire pour savoir que c'est l'heure de jouer à la course aux trésors ?

L'aplomb de Maybel frisait l'arrogance. La Bête ne se laissa pas émouvoir.

– J'irai attacher mon écharpe là où, deux fois déjà, vous l'avez vue. La prochaine fois, portez des vêtements d'homme. Je ne veux pas qu'on nous remarque.

Il avait l'air de donner des ordres, ce qui agaça Maybel. Elle avait déjà hâte à cette prochaine fois, mais elle n'allait surtout pas le laisser paraître.

– Je viendrai si je peux..., dit-elle seulement avant de repartir.

Tous les jours, Maybel descendait jusqu'au rivage pour voir si la Bête avait accroché son fanion. Béatrice discerna vite le manège, mais elle ne dit rien à son frère jumeau. Alban risquait trop de se faire du mouron.

– Va donc voir au bord de la mer si tu ne trouverais pas une mitaine, demanda Béatrice à Maybel, un jour, en fin d'après-midi. J'ai dû l'échapper en me promenant hier...

Maybel trouva la requête étrange, Béatrice n'ayant pas mentionné cette mitaine perdue la veille, mais l'idée de marcher sur la grève lui plaisait. Elle comprit la manœuvre de sa tante en levant les yeux vers le large. L'écharpe rouge flottait à la pointe aux Épinettes.

Deux fois déjà pourtant, depuis le matin, elle avait couru à la banquise et scruté l'horizon. L'écharpe n'y était pas. La Bête avait voulu attendre que le jour descende.

– J'ai apporté des peaux. Il va faire froid, dit-il en l'apercevant.

Maybel pria pour que Béatrice trouve une façon d'expliquer son absence sans alerter Alban. Le soleil était déjà bas...

Ils longèrent la côte jusqu'au manoir.

– Mon père est ivre, dit la Bête. Il en a pour au moins deux jours...

Avait-il attendu que son père soit complètement saoul pour hisser le fanion ? Avait-il peur de lui au fond ? Maybel songea que le fils de l'Écossais était peut-être moins libre qu'il ne l'affirmait.

Elle le suivit jusqu'au pied du cap Enragé. Là, il grimpa sur un cran rocheux et attendit que Maybel le rejoigne. Alors, il déballa ses fourrures et en offrit à Maybel pour qu'elle n'ait pas froid.

Ils restèrent ainsi immobiles à contempler le ciel gris et vide. Plusieurs fois, Maybel soupira. « Tu parles d'un secret, songeait-elle. Ç'aurait été aussi excitant de rester chez nous. » Pourtant, elle ne dit rien.

Parfois, le vent soufflait un peu. Rien d'important. Mais le silence amplifiait tout, si bien que le moindre murmure devenait assourdissant. Un arbre s'étirait vers le ciel en se tordant un peu et les petits craquements qui jaillissaient de l'écorce saturaient soudain l'espace. Au bout d'un long moment, Maybel remarqua aussi que la banquise gémissait. On eût dit qu'une bête enfouie sous la glace cherchait à s'extraire de sa carapace. Un long murmure criblé de plaintes s'échappait de la mer gelée. Mais il fallait être très attentif pour l'entendre. Puis l'air se chargeait des crépitements secrets de la forêt derrière. Et le vent soufflait à nouveau. À peine.

Le ciel s'obscurcit. Il devint aussi sombre que l'écorce des épinettes et se para de reflets bleutés.

104

Maybel sentit la Bête remuer à ses côtés et elle eut soudain conscience de leur intimité. Il aurait suffi qu'elle tende une main pour toucher au cuir du masque. Elle ferma les yeux et découvrit l'odeur du cuir. Et celle de la Bête. En ouvrant à nouveau les yeux, elle se tourna légèrement vers lui. Savait-il qu'elle l'épiait ? Cette fois, le masque bien en place dissimulait tout le bas du visage. Et la lumière était trop faible pour qu'elle puisse deviner les ravages sous le cuir fin.

Sans doute devina-t-il qu'elle l'observait. Il pivota vers elle et leurs genoux se heurtèrent. Maybel sursauta à la vue de ses yeux noirs, si près, si immenses, posés sur elle. La prunelle était à peine plus sombre, et l'iris parcouru de lueurs, comme si de la noirceur même pouvait émaner la lumière. Maybel détourna les yeux, en proie à un étrange vertige. C'est alors qu'elle aperçut la lune. Elle venait tout juste de se lever, pâle, hésitante.

« Mystérieuse... Merveilleuse lune... », songea Maybel sans remarquer qu'elle avait prononcé ces mots tout haut.

En le découvrant, elle se sentit envahie par une joie nouvelle.

– Le silence est magique, déclara-t-elle très solennellement en offrant son vaste sourire à la Bête.

Alban s'était trompé, la banquise ne se dessouda pas d'un coup avec grand fracas au changement de lune. L'hiver refusait de lâcher prise. Dans mon

105

cœur, pourtant, c'était le printemps depuis que François Bouvier m'avait fait savoir qu'il reviendrait à Pâques. Maybel semblait aussi excitée que moi. Le dimanche, elle s'amusait à me coiffer « en prévision des noces » et elle me demandait de lui décrire la robe que je porterais ce jour-là.

– Petite sotte ! que je lui répondais en faisant semblant de me fâcher. Si tu continues, tu ne seras même pas invitée. À trop anticiper, on peut tout rater.

– Je suis pas inquiète, assurait-elle, parfaitement convaincue, les yeux brillants d'excitation.

Il me semblait impossible de ne pas aimer Maybel.

En cette interminable fin d'hiver, le curé piqua une « sainte colère » – c'est lui-même qui la baptisa ainsi – parce que plusieurs paroissiens n'avaient pas encore payé la dîme. Béatrice osa dire publiquement que c'était honteux de voir un aussi gros curé harceler des citoyens « cent fois plus maigres que lui ».

Au premier après-midi de grand soleil, Maybel aperçut à nouveau l'étoffe rouge. Cette fois encore, le fils de l'Écossais surgit de derrière l'islet aux Canards, mais il se manifesta plus tôt pour ne pas effrayer sa voisine. Maybel devait avoir une drôle d'allure. À leur rencontre précédente, avant de la quitter, William Grant avait rappelé à Maybel qu'elle avait promis de se déguiser. Elle portait donc, par-dessus ses vêtements, un vieux pantalon de son père mis de côté pour le prochain épouvantail, une chemise de grosse laine dont les pans lui descendaient jusqu'aux genoux et une calotte d'homme.

– Vous êtes magnifique ! annonça la Bête d'un ton parfaitement sincère.

À la grande surprise de Maybel, il l'entraîna vers le large jusqu'à un muret de blocs de glace qu'ils escaladèrent promptement. Maybel poussa un cri de ravissement en découvrant l'eau libre à perte de vue et un troupeau de jeunes loups-marins batifolant dans la mer glacée.

Je n'ai jamais contemplé ce spectacle, mais Maybel me jura que c'était unique. On voit souvent les jeunes loups-marins s'amuser comme des chiots dans les anses au printemps. Ce n'est pas pour rien qu'on les appelle aussi les chiens de mer. Dans cette eau noire où flottaient encore des plaques et des capuchons de glace, les loups-marins semblaient éperdus de joie. Ils roulaient sur la mer, s'éclaboussaient à grands coups de nageoires, sautaient l'un par-dessus l'autre, puis fonçaient à toute allure, provoquant des collisions pour le simple plaisir de frotter le bout de leur museau contre celui du voisin. Puis ils grimpaient sur un radeau de glace, mettant toute leur énergie à défendre ce minuscule territoire, jusqu'à ce qu'un assaillant parvienne à les déloger dans un concert de clapotis. Et encore, ils filaient sur la mer, faisant brusquement demi-tour, heureux de surprendre leurs poursuivants. Puis ils roulaient à nouveau...

– J'avais l'impression de les entendre rire ! dit

Maybel. Alors je riais avec eux. Même si je savais que la mer était glacée, j'avais des fourmis plein les jambes. C'est fou ce que j'aurais donné pour nager avec eux. Je l'ai dit à la Bête... Il m'a regardée et il a éclaté de rire ! M'entends-tu, Florence ? En écoutant mes bavardages, la Bête a éclaté de rire. Enfin ! J'étais tellement contente ! J'avais... du soleil plein le ventre.

Au retour, pendant qu'ils avançaient sur la banquise, la Bête parla.

– Si vous étiez un animal, vous seriez un loup-marin, lui dit-il. De tous les animaux, ce sont les plus joyeux. Dès la naissance, ils sont possédés par une extraordinaire gaieté qu'ils n'en finissent plus d'exprimer. En vieillissant, ils deviennent paresseux, mais certains d'entre eux conservent ce talent pour le bonheur, cette formidable capacité de joie.

– Et vous, quel animal seriez-vous ? demanda Maybel, impressionnée par cette façon qu'avait la Bête de s'exprimer.

La question parut l'amuser. Il réfléchit longuement avant de répondre.

– Un cormoran.

Maybel ne voyait pas pourquoi.

– Un jour, peut-être, je vous expliquerai...

Il sembla se refermer, s'isolant à nouveau dans son monde. Et puis, soudain, il poursuivit, comme si la conversation n'avait jamais été interrompue :

– Mon père déteste les loups-marins, annonça-t-il. C'est un homme sombre. Les loups-marins l'outragent, leur jovialité l'agresse. Il les chasse avec rancœur : il a *besoin* de les abattre. Il leur en veut d'être tout ce qu'il n'est pas et de posséder ce qu'il ne pourra jamais acheter.

En ce jour du troisième secret, la Belle rentra tellement tard que Béatrice fut forcée de tout raconter à son frère. Alban attendait sa fille sur le rivage, parmi les broussailles et les herbes encore gelées. Le Quêteux avait fait le guet à ses côtés. Maybel le vit remonter la pente vers la ferme alors qu'elle approchait. Celui qu'on appelait souvent l'Arriéré avait une intelligence particulière des humains. Il avait compris qu'Alban voulait être seul avec sa fille.

Ils s'assirent sur des pierres réchauffées par le soleil. Déjà, les kakawis étaient de retour dans l'anse. Bientôt, tous les oiseaux suivraient.

— Je sais et tu sais que je sais. Pas vrai ? s'enquit Alban.

Maybel acquiesça.

— Tu voulais pas me dire pour pas m'inquiéter. C'est ça ?

À nouveau, Maybel hocha la tête.

— Bon. Eh bien, c'est fini. On n'a plus à se mentir. J'ai rien contre le fils et je vais continuer à m'inquiéter du père. J'y peux rien. Mais t'as presque dix-sept ans. À ton âge, ma mère avait déjà deux enfants. Tu es bien assez grande pour juger, la Belle. J'ai pas à intervenir dans tes amitiés.

Alban fit une pause. Il ajouta, gêné :

– Mais, masque ou pas, c'est un homme. Oublie pas...

Ils étaient restés assis à contempler le ciel. Souvent, déjà, ils s'étaient amusés à compter les étoiles filantes. Maybel babillait alors sans arrêt pendant que son père basculait en plein ciel, obnubilé par les astres.

Cette fois, ce fut différent.

– Vois-tu, Florence, m'expliqua Maybel, la Bête m'a appris... à aimer le silence. Je commence tout juste à comprendre une foule de choses. Pourquoi mon père est fou d'étoiles, par exemple. La majorité des gens voient juste des petites billes blanches qui picotent le ciel, mais mon père, lui, il voit... un univers ! Pendant que je comptais les étoiles filantes, durant toutes ces années, peut-être bien que lui, il les ENTENDAIT filer. Avec un petit bruit sec de vent, tiens... Mon père m'a déjà dit qu'il entendait les aurores boréales danser. « Sur une musique de soie froissée. » Je me souviens de ses mots. Ça m'avait impressionnée.

Si Maybel était rentrée si tard, c'est parce que la Bête avait parlé. Encore une fois, Maybel m'avait tout raconté.

– Comprends-moi, Florence, avait-elle chuchoté comme si des fantômes nous épiaient. Il faut que tu m'écoutes. J'ai besoin de tes oreilles, de tes yeux. En te racontant, je vois plus clair, j'entends mieux.

Elle était venue très tôt le lendemain. C'était le pire temps pour se déplacer. Cette saison entre le chemin qui glisse et celui qui roule. Aussi avait-elle choisi de marcher. Seule en voiture, elle risquait trop de s'enfoncer dans la neige molle. Elle avait emprunté le chemin du roi en espérant qu'un passant la ferait monter. Mais les voyageurs étaient rares à ce temps de l'année et ce n'est qu'au retour qu'elle put enfin reposer ses pieds.

Ce jour-là, j'appris qu'Oswald Grant était né à Greenock en Écosse. Il était issu d'une famille très connue. Oswald Grant sut dès son jeune âge que son héritage le rendrait pour toujours indépendant de fortune et qu'il en serait ainsi pour ses fils et ses petits-fils.

Pour lui, comme pour son père auparavant, la vie était un jeu, mais un jeu très sérieux qui consistait à chasser tout ce qui mérite d'être attrapé. Oswald Grant était le cadet d'une famille de sept et son père le disait prédestiné. Il en eut la preuve lorsque, à douze ans, Oswald abattit devant lui son premier sanglier.

Par la suite, ce ne fut que voyages et trophées. Le père d'Oswald était déjà réputé, mais, à la consternation de tous, le fils était tout aussi insatiable et encore plus doué. Sa passion pour la chasse ne connut pas de trêve jusqu'au jour où il ramena de France une femme. Ses ancêtres venaient d'Irlande, mais elle ne parlait que la langue du pays où elle avait grandi. Oswald Grant fut séduit par sa peau très blanche et sa crinière aussi rousse qu'abondante. Avant de l'épouser, il avait à peine remarqué qu'elle était douce et bonne, que ses seins étaient pleins et sa bouche invitante. Habitué à considérer les pelages, il s'était arrêté à la peau laiteuse et à la chevelure flamboyante.

L'Écossais voulut presque tout de suite obtenir un fils. Sa jeune épouse participa au projet avec plus de ferveur que de succès. Chaque fois qu'une graine s'implantait, son corps la rejetait. Elle subit trois fausses couches avant de mener enfin un bébé à terme. L'accouchement fut périlleux, les souffrances atroces, mais l'enfant était magnifique. Et c'était un garçon ! Ils l'appelèrent William. Les médecins confièrent à Oswald qu'à leurs yeux cet accouchement tenait du miracle. Il devait bénir le ciel que sa femme soit encore de ce monde.

Oswald tenait son fils comme un trophée. Il était vigoureux et parfaitement formé. Il ne lui manquait pas un seul doigt de pied. Mais l'idée que cette toute petite chose soit seule à assurer la lignée l'inquiétait. Si jamais il arrivait un malheur... Oswald ne laissa donc pas sa femme en paix. Un an plus tard, son ventre enflait à nouveau. Et quelques mois après, elle baignait dans une mer de sang.

C'est lui qui l'avait trouvée. Lui qui l'avait portée jusqu'au médecin. Ce dernier l'avait averti que sa femme ne passerait pas la nuit. Or, à la grande surprise de tous, elle ouvrit les yeux au matin, en demandant à voir son fils.

Oswald Grant eut l'impression que sa femme n'avait pas survécu pour lui, mais pour cette petite chose qui morvait, criait, chialait et courait déjà partout. Il se remit à la chasse avec une rage peu commune, employant tout son savoir, toute son énergie, à traquer des bêtes nouvelles dans tous les pays possibles. Son imposante collection d'armes et la variété de ses trophées impressionnaient à tout coup les visiteurs.

Le fils entreprit de grandir jusqu'à devenir assez haut pour abattre lui-même des proies. Il adorait sa mère, craignait et admirait son père qu'il ne voyait guère. L'Écossais organisa une première chasse au petit gibier en l'honneur de son fils. La mère du petit frissonna en apprenant la nouvelle.

– Soyez prudents, dit-elle en couvrant William d'un regard adorateur.

Il la rassura de ses grands yeux doux.

Oswald Grant avait réuni quelques hommes qui avaient eux aussi des fils à initier. Chacun portait son arme. Les jeunes avaient reçu des instructions et ils s'étaient déjà pratiqués à manier des armes. En fin de journée, William seul s'apprêtait à rentrer bredouille. Les autres fils avaient tous abattu un lièvre ou une pintade. Oswald Grant fulminait. Comment son propre rejeton pouvait-il être si peu doué ? Au lieu d'abattre sa proie, il la contemplait. Quelle honte !

L'Écossais gardait maintenant son fils à deux pas de lui.

– Quand je te donnerai l'ordre, tire. N'hésite pas ! lui avait-il intimé d'un ton tranchant.

Il y eut soudain un froissement d'aile et un faisan s'envola devant eux.

– Tire ! hurla l'Écossais.

William était encore égaré dans ses rêveries quand son père le poussa brutalement en lui ordonnant de tirer. Il perdit l'équilibre et tomba face contre terre. Pendant que son père continuait de hurler, il épaula son arme, et encore allongé sur le sol, le fusil pressé contre sa joue, il tira. L'explosion qui suivit anéantit tous ses rêves, comme ceux de son père. On ne sut jamais si le canon du fusil était bloqué ou si l'arme était simplement défectueuse. Une chose est certaine, la vie de William Grant fut réécrite ce jour-là. Il aurait dû mourir, mais même la mort ne voulait pas de lui. La déflagration lui avait arraché tout le bas du visage. Il n'y avait plus qu'un amas d'os et de muscles sanguinolents. C'était un spectacle tellement horrible, tellement inhumain, qu'Oswald Grant faillit s'évanouir en découvrant le visage mutilé de son fils.

Dans les semaines qui suivirent, l'Écossais trouva mille raisons de partir, quittant leur immense château avant même que son fils soit définitivement sauvé. La mère de William usa de tous ses pouvoirs pour persuader les médecins de continuer à venir, alors même qu'ils croyaient son fils condamné. Le pauvre semblait lutter contre des créatures monstrueuses. Il roulait de grands yeux épouvantés et des hurlements de bête sortaient de sa gorge. La fièvre le faisait délirer. Lorsqu'il émergeait de ces cauchemars, le front brûlant, le corps trempé de sueur, il dévorait sa mère d'un regard implorant.

Elle comprenait parfaitement la prière muette de son fils : il la suppliait de mettre fin à ce supplice.

Et elle refusait. Avec un acharnement quasi féroce, elle exhortait son fils à poursuivre la lutte, à continuer de subir la torture. À haute voix, elle priait pour qu'il ne se laisse pas mourir. Pendant des nuits et des nuits, elle endura seule les cris et les supplications. Il arrivait que sa foi vacille et elle dut se demander plus d'une fois si elle était bien une mère ou un bourreau. Comment pouvait-elle encourager son enfant à endurer pareille souffrance ? Comment pouvait-elle souhaiter qu'il vive avec ce visage arraché, cette horrible plaie béante ? Et pourtant, elle tenait bon.

Un jour, Oswald Grant revint de chasse plus tôt que prévu et il découvrit son fils debout devant une fenêtre ouverte du séjour. William portait un vêtement de nuit léger que la brise collait à son corps. Le père admira les larges épaules de son fils, son dos bien droit, ses longues jambes, encore musclées malgré les longues semaines d'alitement. William se retourna pour saluer son père. À la vue du visage détruit, Oswald Grant recula en laissant échapper un hoquet de dégoût.

William Grant quitta immédiatement la pièce. Il s'enferma dans ses propres quartiers et y resta deux jours, sans manger.

— Mourir était si facile, confia-t-il à Maybel. J'avais autour de moi tant d'armes accessibles. J'ai caressé amoureusement l'idée. Mon sort était si peu enviable...

Et, pourtant, il y renonça. Au cours des mois précédents, il avait lutté contre la mort parce que sa mère le voulait tant. Cette fois, c'était lui-même, lui seul, qui choisissait de vivre.

Juste avant que son père arrive, William Grant admirait par la fenêtre un pur-sang qu'Oswald Grant venait d'acheter. Une bête superbe. L'Écossais avait engagé un homme pour la dompter et ce dernier y parvint, finalement, mais au moment où William Grant était debout à la fenêtre, c'est encore la bête qui l'emportait. Elle ruait, bondissait, se cabrait, montait sur ses pattes de derrière dans une sorte de ballet furieux qui exprimait tout à la fois sa vigueur et sa rage. Cette image revint souvent hanter William Grant pendant qu'il contemplait l'idée de mourir. Il avait été ému à la vue de cette bête, mais sans comprendre pourquoi. La réponse lui vint au terme d'une longue nuit d'insomnie.

– Parce que c'était beau, tout simplement, s'entendit-il déclarer à haute voix.

Ce qui était si beau, c'était l'ardeur de la bête, cette manière quasi féroce de clamer : j'existe ! je suis vivant !

Lorsqu'il ressortit de ses quartiers, le fils de l'Écossais portait un masque qu'il avait lui-même découpé dans un cuir fin que son père avait mis de côté pour se faire tailler des gants. Il était prêt à vivre, prêt à résister, mais à condition de ne plus jamais lire le dégoût dans le regard de Grant.

Pendant de longues semaines, les arbres furent muets à la pointe aux Épinettes. Maybel s'amusait à tenter de deviner ce que serait le prochain trésor. Le quatrième... François Bouvier était revenu. Et reparti presque aussitôt. Mais, avant, il m'avait demandé si j'acceptais de l'épouser.

Le cri des mouettes résonnait à nouveau dans le ciel du printemps. Sur les blocs rocheux découverts par la marée, les cormorans venaient sécher leurs ailes. Les loups-marins grognaient et mordaient pour s'amuser pendant que les canards faisaient la parade, bombant le torse et rejetant la tête en arrière pour éblouir les belles. Les anses et les baies étaient animées d'une vie nouvelle.

Plus que jamais, Maybel était attirée par la grève. Elle se débarrassait en hâte de ses tâches pour aller arpenter la plage où elle cueillait de pleins paniers de varech. On aurait dit que ses sens s'étaient aiguisés au cours de ses premières promenades avec la Bête. Elle semblait extraordinairement sensible aux couleurs, aux cris, aux odeurs. Elle adorait s'emplir les narines du parfum de la mer, lourd de sel, d'iode et de goémon. Souvent, elle restait de longs moments assise sur un cran rocheux, les yeux fermés, pour le simple plaisir de laisser l'embrun déposer son voile de poussière d'eau sur sa peau. Lorsque Alban déclara qu'il y avait bien assez de varech pour engraisser les champs, elle se mit à ramasser du bois de grève.

Le vent n'agitait toujours que les arbres à la pointe aux Épinettes.

Au magasin, l'activité était intense. Grâce à la compagnie Price, la population de Sainte-Cécile avait presque doublé dans la dernière année. Le curé Guimond se donnait déjà des airs d'évêque et il harcelait ses paroissiens pour l'achat de deux grosses cloches. Un médecin s'était enfin installé au village, à deux pas du nouveau cordonnier, et trois forgerons se disputaient maintenant la clientèle. Notre commerce était florissant. Plusieurs fois par semaine, mes deux jeunes sœurs venaient nous aider, maman et moi, à disposer de nouvelles marchandises sur les tablettes.

On parlait peu des Écossais. Le fils n'avait pas été aperçu depuis des lunes et le père nous avait visités moins souvent que de coutume. Trois fois déjà, au lieu de venir lui-même, il nous avait envoyé un domestique avec une liste d'achats écrite de sa main. Les habitants de Sainte-Cécile avaient quand même besoin de personnages forts pour meubler leur vie simple et fouetter leur imagination. Ils avaient donc temporairement jeté leur dévolu sur d'autres individus. Malheureusement.

La rumeur avait été lente. Pendant des mois, il n'y avait eu que de timides allusions. Sans doute attendait-on le départ d'Alban pour l'île Bicquette avant de pousser plus loin les commérages. S'il avait continué à vivre dans l'anse douze mois par année avec sa sœur, sa fille et le Quêteux, leur fragile équilibre n'aurait peut-être pas été bousculé. Or, peu après que les lumières du phare de l'île Bicquette eurent recommencé à illuminer la nuit, l'histoire se répandit : Béatrice et le Quêteux vivaient comme mari et femme, sans la bénédiction de Dieu. Quelqu'un les aurait vus s'accoupler comme des bêtes dans les fourrés en bordure de la route.

– Paraîtrait qu'ils grognaient et qu'ils soufflaient comme des porcs, s'était permis d'ajouter la femme du notaire qui disait le tenir de source sûre.

Ma mère n'aimait pas les médisances et elle se défendait bien d'y participer, mais elle fut quand même ébranlée par ces propos. Je parvins sans trop de mal à la convaincre de ne pas y croire – je savais bien que c'était faux ! – et sans doute que maman ne demandait pas mieux. J'aurais dû aussi trouver le courage de tout raconter à Maybel. Elle aurait pu « voir venir », comme on dit. Souvent, depuis, je me suis reproché ce silence, mais il était trop tard.

Un après-midi de juin, Maybel arriva au magasin les joues rosies et les yeux brillants. Avec de grands airs mystérieux, elle alla s'entretenir avec ma mère et obtint que je la suive, sans m'expliquer pourquoi. Béatrice et le Quêteux nous attendaient dans une charrette.

Je crus d'abord à un simple pique-nique. Nous nous étions arrêtés dans la petite anse derrière la montagne des Moutons. Béatrice avait déballé des victuailles : du pain, du lard, du beurre, de la confiture de fraises et des pâtés encore tièdes. Avec de grands gestes cérémonieux, le Quêteux avait étendu une vieille chemise sur le sable pour que je m'y installe avec Maybel. Il reniflait à grand bruit comme chaque fois qu'il était excité.

Béatrice m'offrit du vin de cerises, « juste pour y goûter », et cela me fit plaisir. J'étais heureuse en leur compagnie. Le soleil descendit doucement pendant que Béatrice nous racontait des histoires de loup-garou et de chasse-galerie. Le Quêteux l'écoutait avec un plaisir d'enfant, les yeux ronds et la bouche ouverte, essuyant parfois d'un coup d'avant-bras la salive qui coulait sur son menton. À tout moment je m'attendais que Béatrice donne le signal du départ, pourtant je ne le souhaitais pas.

Le ciel déjà orangé s'enflamma. On aurait dit un champ d'épervières. Les lueurs ardentes s'évanouirent peu à peu et la lune apparut, pleine et ronde, extraordinairement brillante. La mer montait, portée par de longues vagues écumantes. Le panier de victuailles avait été retourné à la charrette. Tout le monde attendait. Qui ? Quoi ? Je n'en avais aucune idée. Le Quêteux s'avança le premier sur la grève, une chaudière à la main, ses gros pieds léchés par la mer. Maybel le rejoignit en sautillant.

C'est en m'approchant que j'ai vu les vagues s'allumer. On aurait dit qu'elles charriaient des milliards d'étoiles. En réalité, elles brillaient d'une multitude de poissons aux écailles argentées que la lune venait éclairer. Jamais de ma vie je n'ai vu de spectacle plus étonnant. J'avais l'impression de vivre une sorte de petit miracle. Et, pourtant, ce n'était que le rendez-vous annuel des capelans qui roulent sur le rivage pour venir frayer.

Les vagues continuèrent de monter et la plage disparut bientôt sous un tapis d'écailles scintillantes. Béatrice et le Quêteux ramassaient le poisson à pleines chaudières, sans effort, heureux de profiter de cette manne fabuleuse avant les premières récoltes. Maybel riait aux éclats en pataugeant parmi les capelans qui glissaient sur ses pieds et bondissaient sur ses jambes.

J'étais restée sur le haut de la plage, sidérée à la vue de tous ces poissons gigotant sous la lune. Maybel courut vers moi en me tendant les mains. Tout son être disait qu'elle voulait danser. Elle avait besoin de gestes pour exprimer sa joie. Alors, nous avons dansé, guidées par la rumeur des vagues, nos pieds dessinant sur le sable des pas que la mer se chargeait d'effacer.

Maybel dut sans doute, comme moi, fermer quelquefois les yeux pour rêver d'un autre partenaire. Je n'avais pas de difficultés à imaginer François Bouvier devant moi. Quant à la Belle, je crois bien que celui qu'elle espérait n'était encore qu'une ombre, une vague silhouette sans visage.

À leur rendez-vous suivant, la Bête ne dit rien pour expliquer son long silence. Pendant que Maybel avançait sur l'eau, William Grant défit lentement son écharpe et attendit.

– J'ai bien failli vous envoyer porter une autre écharpe, lui cria la Belle en approchant de la pointe. Je me disais que vous l'aviez peut-être perdue...

121

Elle s'était efforcée de prendre un ton badin, mais les reproches perçaient dans sa voix. Le fils de l'Écossais n'y fit pas attention.

Il ramena Maybel à l'île aux Plumes. La plupart des nids d'eider étaient vides et plusieurs crèches glissaient sur l'eau. Ils parvinrent toutefois à épier quelques canetons au moment même où ils dévalaient un petit monticule rocheux pour rejoindre leurs cousins à la mer. Vite étourdis par leurs premiers pas, les oisillons finissaient par débouler, cul par-dessus tête, atterrissant dans l'eau dans le plus grand désordre pour découvrir soudain qu'ils savaient nager.

Derrière un bosquet, la Bête trouva une femelle trop faible pour quitter son nid. Maybel aida son compagnon à la nourrir de moules bleues. Puis ils parcoururent les plages de l'île, aidant encore quatre femelles à se réhydrater afin qu'un jour, peut-être, elles puissent regagner la mer.

Maybel prenait l'entreprise à cœur. Elle était affolée à l'idée que l'opération de sauvetage puisse ne pas réussir.

– Allez-vous revenir demain ? Pensez-vous qu'elles vont s'en sortir ? Elles ont combien de chance d'après vous ?

Elle s'arrêtait un peu, puis reprenait :

– L'année dernière, en avez-vous trouvé qui étaient mortes dans leur nid... même après leur avoir donné des moules ?

Le fils de l'Écossais l'ignorait. Il continuait de fouiller parmi les hautes herbes, les pierres et les broussailles. Ils tombèrent ainsi sur une femelle mal en point qui avait encore un caneton dans son nid. Pendant que Maybel cherchait des moules, la Bête cueillit la petite boule de duvet cendré avec précaution pour ne pas lui transmettre son odeur et alla la porter à la mer. Lorsqu'elle revint avec ses victuailles, la Belle découvrit que le petit était disparu. En apprenant ce que la Bête avait fait, elle éclata de colère.

– Qu'est-ce qui vous a pris ? C'était pas la chose à faire. Aidez-moi ! On va le ramener. Vite ! Venez !

La Bête l'observait, impassible. Maybel courut vers l'eau. Des dizaines de canetons suivaient les femelles en rangs désordonnés. Ils semblaient tous identiques.

Maybel revint vers la Bête. Ses yeux brillaient d'éclairs mauves.

– C'est affreux de séparer un bébé de sa mère ! Vous n'êtes qu'un monstre ! cracha-t-elle.

Blessé par ses paroles, la Bête entreprit de réhydrater la femelle épuisée sans tenir compte des humeurs changeantes de sa voisine. Maybel lui faisait sans doute penser à une enfant gâtée. Lorsqu'il eut terminé, William Grant fit quelques pas vers la plage avant de se retourner pour s'assurer que Maybel le suivait.

Il s'arrêta, figé. Les joues ruisselantes, le corps secoué de sanglots, Maybel pleurait à chaudes larmes. Il y avait tant de souffrance dans le regard de cette petite femme d'habitude si gaie qu'il en fut soufflé.

La Bête s'approcha lentement. Il s'agenouilla aux côtés de la Belle et la contempla, ému chaque fois qu'un hoquet étranglé s'échappait de sa gorge. Bientôt, n'y tenant plus, il leva lentement une main et, du bout des doigts, caressa le visage de la Belle, avec des gestes d'une douceur infinie, comme si sa peau était encore plus fragile qu'une aile de papillon.

Maybel ferma les yeux pour mieux s'abandonner à cette main sur sa joue. Au bout d'un moment, elle leva vers son compagnon ses yeux de lavande en tentant bravement de le rassurer d'un sourire.

– J'étais vraiment très petite quand ma mère est partie, dit-elle, le visage encore barbouillé de larmes. Je n'en ai jamais parlé à Alban, ni à Béatrice, ni même à Florence, mais chaque jour que le bon Dieu fait, je pense à elle. J'essaie de l'imaginer devant moi. Et j'ai mal...

Avant de la quitter, il l'avait prévenue qu'il tenterait de nouer à nouveau son écharpe à une épinette dans les prochains jours. Elle devrait alors le rejoindre au marais salé, à l'heure où la mer commence à redescendre.

Il l'attendait parmi les joncs en bordure du marais. Maybel était contente de le voir. Elle m'avait déjà confié qu'elle préférait que les étapes de la course aux trésors soient plus rapprochées. Elle en parlait encore comme d'un jeu. Pourtant, elle avait commencé à deviner combien l'entreprise était grave.

– Bonjour ! lança-t-elle, la voix pleine de cette gaieté explosive qu'elle semblait seule à posséder.

William Grant l'aida à hisser sa barque sur la grève. Maybel observa le jeune homme. Le masque couvrait toujours plus de la moitié du visage, mais, dans l'ouverture de la bouche, les lèvres semblaient sourire et quelque part dans l'eau sombre des yeux, une joie bien réelle pétillait. Trop heureuse, Maybel prit la main de son étrange voisin et ils avancèrent ainsi sur la batture sablonneuse.

Il n'eut pas à l'avertir. Elle comprit en découvrant de loin les silhouettes fragiles éparpillées dans les marelles et parmi les herbes folles. Chaque bruit, chaque geste prenait de l'importance. Heureusement, le vent soufflait vers eux. Maybel savait que c'était mieux.

Une dizaine de grands hérons se gavaient d'insectes et de petits poissons charriés par la marée. Maybel et son compagnon observèrent longtemps leur marche lente, les hautes pattes effilées, les becs plongeants, les longs cous si mobiles, révélant puis camouflant l'aigrette. Un peu à l'écart et parfaitement immobile, le cou bien droit, un des hérons faisait semblant de ne rien vouloir, jusqu'à ce qu'une proie se profile soudain. Alors, avec une rapidité effarante, le bec pointu happait l'insecte.

Les vents durent tourner. Il n'y eut pas un seul bruit d'avertissement et pourtant, dans un même mouvement, en parfait accord, les cous se tendirent et d'immenses ailes s'élevèrent dans le ciel.

C'était fini. « Cinquième trésor », murmura Maybel sans que la Bête l'entende.

Mais la journée n'était pas terminée. Alors même qu'il la raccompagnait vers sa barque, ils aperçurent un cormoran, tout près du rivage, sur un récif que la mer avait presque inondé.

La Bête s'accroupit dans les herbages et Maybel l'imita.

« Sixième trésor », lui chuchota-t-il à l'oreille.

Cette fois, ils restèrent encore plus longtemps immobiles pendant que l'oiseau, grimpé sur la plus haute roche, offrait ses larges ailes à sécher au soleil et au vent. Béatrice avait déjà expliqué à Maybel que le cormoran, pourtant si beau, si noble, souffrait d'un curieux handicap. Ses plumes n'étaient presque pas imperméables et lorsque ses ailes étaient gorgées d'eau, il avait beaucoup de mal à voler. C'est pour ça qu'on le voyait si souvent, arrêté sur un récif ou un écueil, les ailes déployées, l'air triste, attendant patiemment de pouvoir se remettre à voler.

Maybel avait souvent vu des cormorans séchant leurs ailes. Mais cette fois, peut-être parce qu'elle s'était arrêtée, parce qu'elle était restée si longtemps attentive, elle eut l'impression de ressentir en elle-même la peine du cormoran. Et lorsque l'oiseau, sentant enfin ses ailes allégées, les secoua plusieurs fois avant de prendre son envol, Maybel découvrit que c'était complètement différent de

l'envolée des hérons juste avant. Elle avait été déçue
de ne plus pouvoir épier les grands oiseaux bleus,
alors que, cette fois, elle applaudissait de tout cœur
le départ du cormoran enfin consolé.

Maybel se tourna vers son compagnon.

– J'ai compris votre ressemblance avec cet
oiseau, dit-elle seulement.

Il la contempla un moment.

– Les cormorans ne sont pas malheureux, dit-il
en esquissant un petit sourire. Mais ils sont
condamnés à vivre avec leur handicap.

Pendant qu'ils retraversaient la batture, Maybel
demanda :

– Il y a quelques années, quand mon père vous
a trouvé près de l'enclos des renards, étiez-vous
simplement malheureux ?

William Grant ne répondit pas et Maybel eut
peur de l'avoir fâché. Mais, alors qu'elle fixait les
rames de sa barque, il vint s'asseoir dans l'embarcation encore montée sur la grève.

– Parfois je rêve qu'il n'y a jamais eu d'accident,
dit-il. J'ai grandi et mon visage est intact. Tout est
encore possible. Je peux m'inventer mille vies. Je
me réveille avec cette fausse identité et il me faut
quelques secondes, quelques minutes parfois, pour
me souvenir du masque. Alors ma peine est bien
plus grande que celle du cormoran. Il m'arrive de
gémir comme une bête sauvage, recroquevillé sur
moi-même en attendant la nuit. La dernière fois,
votre père m'a surpris...

Maybel fut bouleversée par ces paroles, mais elle

s'efforça de ne pas trop le montrer. William Grant reprit alors le récit de sa vie là où il l'avait laissé.

– Ma mère a tout fait pour que je vive normalement, raconta-t-il. Mais c'était impossible. Malgré mon masque, les autres enfants hurlaient à mon approche. Et même si tout le voisinage savait que j'avais été défiguré lors d'un accident de chasse, on aurait dit qu'ils craignaient que cela ne soit contagieux. J'ai cessé de fréquenter l'école. Ma mère engagea un tuteur, mais c'est avec elle que j'ai le plus appris. Le maître m'enseignait la philosophie, les mathématiques, les sciences. Ma mère m'enseignait la lecture et la vie. C'est elle qui m'a fait découvrir Balzac, Stendhal, Dumas, Laclos, Hugo...

Devant l'air dérouté de Maybel, il expliqua :

– Ce sont tous des écrivains de France. Mais j'en ai lu d'ailleurs aussi. Au début, ils m'ont servi de radeau... Après... c'était différent...

Il fit une longue pause avant de poursuivre :

– Mon père ne pouvait supporter de me voir sans masque. Et même ainsi, il avait du mal à me regarder. Lui, l'homme aux trophées, avait pour fils unique, pour seul héritier, un être diminué. Je l'avais entendu dire à ma mère qu'il ne s'habituerait jamais « à cette tête de monstre sur un corps si parfait ». Comme si le contraste décuplait l'horreur. Comme s'il avait préféré que je sois mutilé de la tête aux pieds... Dans son univers de chasseur, Oswald Grant avait réussi, comme en témoignaient ses trophées, mais, dans sa vie de père, il se considérait comme raté. J'étais son seul cerf et mes bois étaient brisés.

« Nous avions une maison de campagne au bord de l'océan. Ma mère et moi y séjournions souvent. Lorsque mon père revint d'un long voyage en nous annonçant que nous déménagions en Amérique, je ne fus pas déçu. J'aimais déjà la nature, les grands espaces. J'abandonnais donc sans regret notre immense château de Greenock, car il me semblait que la mer, le ciel et les animaux d'Amérique me combleraient davantage.

« Aux derniers jours de la traversée, pendant que ma mère se vidait de son sang, après avoir expulsé d'horribles débris de son ventre, j'ai eu l'impression de mourir moi aussi. Elle était la seule à m'aimer sans masque. Je l'enlevais toujours la nuit et parfois aussi quand j'étais sûr d'être seul. Lentement, du bout des doigts, j'explorais ce territoire caché, j'essayais de m'apprivoiser. Ma mère s'en aperçut et elle prit l'habitude de venir dans ma chambre, tard le soir et parfois même la nuit. Elle rentrait sans bruit, s'asseyait à mon chevet et, de ses belles mains douces et parfumées, elle caressait lentement mon visage, sans rien éviter, parce qu'elle m'aimait tout entier. »

Oswald Grant ne s'était pas remis de la mort de sa femme. Entre les expéditions de chasse, les renards, les voyages et l'alcool, il n'avait jamais retrouvé le moindre semblant d'équilibre. Il lui restait un fils, mais il était incapable de s'en approcher. Et le regard des autres sur la Bête l'affolait.

Oswald Grant ne pouvait supporter l'horreur qu'il lisait dans leurs yeux. Alors il cachait son fils.

— Et j'accepte cette situation, dit la Bête. Parce que ça ne m'enlève rien. Et parce que j'ai compris combien c'était important pour mon père. Il a bien plus besoin que moi d'être protégé. Ma mère m'a légué sa force. C'est un héritage d'une valeur inouïe. Il m'arrive parfois de me laisser abattre, votre père en a été témoin, mais je suis un homme solide... et presque heureux.

Maybel avait eu dix-sept ans à la fin du printemps. Au cours de cet été, elle alla souvent voir son père à l'île Bicquette, mais elle restait rarement pour la nuit et elle n'annonçait jamais ses visites. Évidemment, il y avait beaucoup à faire à la ferme, pourtant le Quêteux besognait comme deux, l'engagé ne se débrouillait pas trop mal et Béatrice savait abattre plus que sa part de travail. Si Maybel hésitait à s'absenter longtemps, c'est parce qu'elle avait peur de manquer un fanion.

En août, le fils du charron lança des invitations pour une épluchette de blé d'Inde. Maybel accepta avec joie et je promis moi aussi de venir. Mon frère Guillaume se joignit à nous. Il contemplait l'idée de se lier à Maybel et il n'était pas le seul à nourrir de telles espérances. Malgré les rumeurs sur sa tante et le Quêteux, et même si on disait encore que sa mère était une femme de mauvaise vie, plus d'un jeune homme rêvait d'épouser la Belle. Eugène Rioux était du groupe.

130

En fin de soirée, quand tous les épis furent épluchés et bon nombre mangés, quelques jeunes gens sortirent leurs instruments. Lorsque la Belle se mit à danser, il me sembla que l'air se chargeait de dynamite. Elle tournoyait avec le fils Turcotte, heureuse et insouciante, sans deviner les passions qu'elle allumait. Mon frère s'approcha bientôt pour avoir son tour, mais le fils Rioux l'intercepta. Eugène Rioux avait bu et il semblait animé d'une ardeur malsaine.

— Pousse-toi ! lança-t-il à Guillaume en le rudoyant.

Le fils Rioux s'était déjà emparé du bras de Maybel lorsqu'il ajouta d'un ton grivois :

— Si t'es en manque, va voir la tante !

Maybel s'immobilisa. Rioux tenta de l'entraîner avec lui, mais elle se dégagea brusquement et recula de plusieurs pas, les yeux agrandis par l'horreur.

— Explique-toi, Eugène Rioux, lança-t-elle d'une voix blanche.

Rioux jeta un regard à la ronde, cherchant appui parmi les autres jeunes gens. Henriette Dionne, la fille du notaire, une grande perche avec des yeux ronds qu'aucun garçon ne semblait pressé de réclamer, vint à la défense de Rioux.

— C'est quand même pas la faute à Eugène si la sorcière laisse le Quêteux lui faire des affaires que le bon Dieu voudrait pas voir, dit-elle.

Je m'étais approchée de Maybel.

— Viens ! la suppliai-je. On s'en va...

Mon amie me jeta un regard noir avant de s'adresser au groupe de jeunes gens.

— Vous êtes malades ! lança-t-elle, fouettée par la colère.

Pendant quelques secondes, elle laissa courir son regard de braise, sondant les cœurs autour d'elle, comme pour évaluer l'ampleur du mensonge et de l'hypocrisie dont sa tante et le Quêteux étaient victimes. Ce qu'elle découvrit ne la rassura guère. Elle déglutit plusieurs fois avant de poursuivre :

— Durant toutes ces années, vous avez été assez bêtes pour imaginer ma tante en jeteuse de sorts et il y en a même qui ont cru qu'elle s'était débarrassée de son mari. Je ne comprenais pas pourquoi ma tante se forçait pas plus pour apporter des démentis. Mais là, c'est tout vu. C'est bien normal que Béatrice ne veuille rien savoir de vous autres et qu'elle aime mieux rester toute seule dans notre anse.

Maybel marqua une pause. La colère enflait sa voix et elle tremblait. De peine autant que de rage.

— Parce que vous n'en valez pas la peine ! leur lança-t-elle.

Les meilleurs baissèrent la tête, penauds. Les autres firent semblant de défier Maybel, mais sans oser croiser son regard. La Belle n'avait pas tout dit.

— Béatrice viendra jamais se défendre, mais moi, je vais vous le dire. Et rien qu'une fois. Y a pas meilleur homme que le Quêteux. Y a pas plus gentil ni plus respectueux. Il aurait jamais rêvé de toucher à Béatrice. Et ma tante n'aurait jamais imaginé que ce bon gros géant qu'elle aime comme un enfant voudrait la dégrader. Ce que vous avez colporté sur ma tante et sur notre Quêteux, vous et tous ceux de votre famille, me blesse et vous déshonore. C'est pas vrai que le Quêteux fait à Béatrice des choses que le bon Dieu voudrait pas voir...

Un bruit de sabots fit tourner les têtes. Je reconnus immédiatement la jument d'Alban et leur petit tombereau quittant le sentier de la ferme Turcotte dans un nuage de poussière. Une haute silhouette massive guidait l'attelage.

C'était le Quêteux.

Le Quêteux avait promis de venir chercher Maybel après un arrêt chez le forgeron. Sans doute voulait-il imiter Alban, étudiant les étoiles en attendant la Belle. Mais ce qu'il avait entendu lui avait donné un tel coup au cœur qu'il en avait abandonné Maybel, fouettant les chevaux pour fuir les paroles qui cognaient encore dans sa tête.

Il avait abandonné l'attelage un peu plus loin. Et il avait continué sa route à pied. Jusqu'où ? On ne l'a jamais su. Personne ne revit le Quêteux.

Alban quitta l'île Bicquette. Arraché à son ciel de rêve, il retombait dans la dure réalité. Béatrice aurait pu, bien mieux que lui, continuer à s'occuper de la ferme avec un ou deux engagés. Mais Alban savait que sa jumelle avait besoin de lui. Comme tous ceux qui se fabriquent une carapace, Béatrice était vulnérable. Cette dernière rumeur avait détruit tout l'espoir et toute la confiance qui avaient lentement recommencé à croître en elle. Et elle lui avait ravi un merveilleux ami.

Ce fameux soir, après la fuite du Quêteux, Guillaume et moi avions raccompagné Maybel jusque chez elle. Lorsque nous avions découvert l'attelage abandonné, j'étais montée dans le tombereau avec mon amie, et Guillaume nous avait suivies jusqu'à la petite ferme de l'anse à Voilier. Je devinais que le Quêteux avait fui. Maybel savait déjà qu'il ne reviendrait plus.

Le lendemain, maman trouva quelqu'un pour me remplacer au magasin afin que je puisse retourner voir la Belle. Tout au long du trajet, je me demandais quels mots, cette fois, parviendraient à étancher la colère et atténuer la peine de mon amie. En arrivant à l'anse à Rioux, je m'arrêtai pour contempler le paysage. De là, on voyait mieux qu'ailleurs ces montagnes et ces islets qu'un ange vêtu d'un long manteau de soie bleu avait éparpillés, sculptant un rivage comme nulle part au monde. C'est alors que je vis le fanion rouge flottant à la pointe aux Épinettes. Le cœur plus léger, je rebroussai chemin, sachant que Maybel serait à son rendez-vous. Je me souviens aussi d'avoir secrètement remercié le ciel de nous avoir envoyé la Bête.

Ce jour-là, dès qu'il aperçut la Belle, William Grant comprit qu'elle vivait un drame. Maybel avait le cœur en bouillie et une rage sourde pulsait dans ses veines. Par défi, par fureur, elle ne s'était pas déguisée en homme. Elle avait débarqué à la pointe aux Épinettes vêtue d'une simple robe bleue, et j'imagine bien qu'après toutes ces heures de fréquentation avec une femme épouvantail William Grant dut être surpris à la vue de cette frêle silhouette.

Ils longèrent le rivage en direction du marais salé. Lui devant, elle derrière. L'été était déjà avancé, mais des grappes bleues fleurissaient encore sur des tiges poussiéreuses parmi les galets. Un ruban de goémon auquel se mêlait une foule de petits débris rejetés par la mer dessinait une frontière sombre à mi-hauteur sur la plage. Le soleil arrachait des odeurs troubles à la mousse et aux algues. En se retirant, la mer avait constellé la plage de marelles. La Bête s'agenouilla près de l'une d'elles.

Maybel dut hésiter un peu. Elle ne craignait pas de se mouiller, simplement, elle n'avait le cœur à rien. Elle finit quand même par s'installer comme son compagnon. Il observait de minuscules escargots de mer agrippés à une paroi rocheuse. Quelques-uns se déplaçaient très lentement en laissant derrière eux une empreinte délicate, à peine perceptible. Dans une autre marelle, tout près, Maybel découvrit des poissons nains frétillant de plaisir dans l'eau tiède. Elle aperçut d'autres escargots et décida de les étudier plus longuement.

Au bout d'un moment, elle eut envie de sentir sous son doigt la coquille froide, délicatement ciselée. Il lui sembla alors que l'escargot affermissait sa prise sur le roc. Maybel parvint quand même à le déloger, mais elle fut surprise par la résistance de cette si petite chose qui ne semblait pourtant guère plus vivante qu'un éclat de roche.

La Bête s'était avancée dans la mer. Maybel le suivit, explorant de ses doigts, comme lui, la forme et la texture des plantes marines. Elle découvrit des algues rouges et d'autres roses, de longs rubans noirs satinés et de grandes lames souples, criblées de trous. Il y en avait qui tendaient leurs petits bras fébriles vers le ciel, d'autres qui cherchaient à s'étendre et d'autres encore qui plongeaient leurs interminables racines dans les noirceurs de la mer. Certaines étaient lisses et froides, gorgées d'eau, d'autres, plus rugueuses, semblaient gonflées d'air. Les unes étaient solidement ancrées, d'autres n'avaient que de minces filaments pour résister aux vagues et aux vents.

Maybel se releva en frissonnant, le bas de sa robe collé à ses cuisses. Le soleil avait amorcé sa descente. En marchant vers son compagnon, la Belle découvrit que cette lente exploration l'avait rendue plus sereine. Le monde des humains lui apparaissait sans magie et sans grâce, totalement désorganisé, mais au contact de ce royaume secret, elle recouvrait un peu de foi en la vie.

La Bête cachait quelque chose sous ses grandes mains, plaquées sur ses cuisses.

— Choisissez, dit-il.

La Belle parvint à sourire. Elle adorait jouer. Elle réfléchit un peu, désigna la main droite, puis changea d'idée. La Bête leva la main choisie,

découvrant une étoile de mer encore nacrée de
pêche et de rose. L'autre main révéla un oursin,
une de ces créatures ingrates, hérissée de petits
piquants.

– C'est dans l'ordre des choses, dit la Bête en
tendant l'étoile de mer à Maybel. Ce qui se ressemble s'assemble...

La Belle examina lentement l'étoile en dessinant
du bout des doigts le contour de chaque branche.
Finalement, elle la redonna à la Bête et prit l'oursin.

– On dirait un porc-épic marin, dit-elle sans
quitter la Bête des yeux. Si je peux choisir, c'est
lui que je prends.

La Bête parut émue. Juste avant qu'ils se quittent, Maybel lui raconta la fuite du Quêteux et
aussi ce qu'avaient raconté Henriette et le fils
Rioux.

Le premier dimanche après l'épluchette, Maybel,
Béatrice et Alban ne se présentèrent ni à l'église ni
au magasin. Pourtant le ciel était superbe. Une
semaine plus tard, Alban et Maybel acceptèrent de
partager notre repas du dimanche, mais Béatrice
refusa de les accompagner. Maybel mangea peu,
ce qui était rare. Guillaume tenta de la dérider avec
quelques faits cocasses, mais elle ne l'écoutait que
distraitement. Dès que cela fut possible, je pris
Maybel par la main et l'entraînai dans ma
chambre. Je sentais qu'elle allait étouffer. Visiblement, elle avait besoin de parler...

Elle me raconta que la veille, très tôt le matin,

elle avait remis son « costume d'épouvantail » et ramé jusqu'à la pointe aux Épinettes où elle avait laissé son embarcation. Il n'y avait pas de fanion. Elle le savait déjà avant de venir. Malgré cela, elle avait traversé les terres de l'Écossais et marché sur la flèche de sable jusqu'à l'île aux Plumes.

– J'en avais assez, vois-tu. C'est toujours lui qui décide des rendez-vous. À cause de son horreur de père à qui je souhaite de brûler en enfer ! J'avais envie de voir le fils et je n'ai pas peur du père, mais je n'étais quand même pas pour aller frapper à leur porte... Alors j'ai pensé que j'avais des chances de le trouver sur l'île, si je ne le croisais pas avant. Depuis des jours, je pensais aux nids. Je me demandais toujours si les femelles qu'on avait nourries s'en étaient sorties...

Maybel n'avait pas trouvé la Bête sur son île, mais elle avait fait le tour de tous les nids d'eider pour découvrir qu'ils étaient vides. Rassurée, elle avait marché jusqu'à la cabane et y était entrée. En découvrant le masque de la Bête sur un caisson au milieu de la pièce, elle avait eu un mouvement de stupeur.

La Bête était-elle là ? tout près ? le visage découvert...

Elle voulut l'appeler, mais ne sut comment. Dans sa tête, c'était tour à tour la Bête, le fils, le voisin... Parfois, plus rarement, elle osait l'appeler William. Secrètement. Mais elle ne s'était jamais adressée à lui en le nommant.

– La Bête ? appela-t-elle d'une voix hésitante.

Dehors, le vent s'était levé. Il sifflait, furieux. Elle attendit encore un peu.

– Mon voisin ?

Les seules réponses vinrent des canards, des mouettes et des goélands.

Maybel savait qu'elle aurait dû partir. La mer avait déjà commencé à monter pendant qu'elle inspectait les nids. Depuis, le ciel s'était dangereusement obscurci et un vent d'est qui n'annonçait rien de bon courbait les arbres. Mais à l'idée que la Bête était peut-être là, tout près, sans son masque de cuir, Maybel ne pouvait se résoudre à quitter l'île.

– Cent fois, mille fois, j'avais eu envie de lui demander de l'enlever, me confia-t-elle. Même si j'avais peur. Même si je n'étais pas sûre de ma réaction. J'en rêvais la nuit. Je l'imaginais me montrant son visage. J'espérais qu'un jour il accepterait de se démasquer devant moi. Et, si jusque-là je m'étais retenue de lui demander, ce n'est pas parce que j'avais peur. C'était... par pudeur. Je comprenais que, pour lui, c'était un geste... très intime. Parfois aussi je me disais que ce serait peut-être le dernier secret.

Maybel avait longé le rivage, tous ses sens aux aguets. Parfois encore, elle l'appelait, mais la mer était forte et la rumeur des vagues enterrait sa voix. Elle chercha son ami parmi les hautes herbes et les bosquets, les arbres et les récifs, et encore, plus loin, au pied des falaises. C'est là qu'elle trouva une vieille barque attachée à une arête rocheuse contre laquelle elle cognait durement, poussée par les vagues. C'est là aussi qu'elle entendit les grognements et les gémissements.

Maybel devina presque tout de suite ce qui était en cours, car elle avait souvent vu des bêtes. Si elle poursuivit un peu plus loin, c'est parce qu'elle craignait que l'un de ceux qui se livraient à ces ébats n'y soit forcé. Des paroles finirent de la convaincre qu'il n'en était rien. Eugène Rioux et Henriette Dionne étaient tous les deux clairement consentants. La Belle décida de s'éloigner.

Sans doute était-elle malgré tout ébranlée par ce qu'elle imaginait de la scène, car elle trébucha sur une racine et tomba face contre terre en étouffant trop tard un cri de surprise. Dès qu'elle fut à nouveau debout, elle sut qu'ils l'avaient entendue. Elle se cacha derrière de gros bouleaux, juste à temps pour voir Henriette et le fils Rioux se relever en hâte et rajuster leurs vêtements en jetant des regards inquiets autour d'eux.

– Henriette, surtout, avait l'air affolée à l'idée que quelqu'un l'aurait peut-être vue, raconta Maybel. Le fils Rioux, lui, s'inquiétait surtout de sa barque et du gros temps qu'il découvrait tout à coup. En voyant la hauteur des vagues, Henriette a commencé à dire que c'était dangereux de repartir, mais Eugène lui a ordonné de se taire.

La barque des Rioux avait déjà pris un peu d'eau. Henriette s'en aperçut, mais Eugène décida que ce n'était rien.

– Quelques vagues sont montées trop haut. C'est

tout. On n'a rien pour écoper... alors embarque tout de suite ou bien reste, lui cria-t-il.

Henriette finit par monter. Elle devait mourir de peur à l'idée d'être abandonnée sur l'île de la Bête en pleine tempête. Rioux se mit à ramer comme s'il avait le diable à ses trousses. Il semblait pressé de regagner le village, mais le vent les déportait vers l'anse de la rivière du Sud-Ouest. Avant qu'ils puissent s'en approcher, Rioux découvrit que sa barque était endommagée et que l'eau montait dangereusement à ses pieds.

– C'est là que l'idiot s'est mis debout dans son bateau et il a commencé à gesticuler comme un fou, une rame à la main, pour appeler au secours. Il devait sûrement crier aussi, mais le vent l'enterrait. Et il n'y avait pas une âme en vue sur le rivage.

Maybel ne pouvait rien faire. Le fils de l'Écossais n'avait pas d'embarcation sur l'île, car il empruntait toujours la flèche de sable, de l'autre côté. La pluie avait commencé à tomber, poussée par des vents de plus en plus violents. La Belle courut sur le rivage pour ne pas perdre de vue les deux passagers en détresse. Leur barque tanguait dangereusement et Maybel parvenait maintenant à entendre les cris d'Eugène mêlés à ceux d'Henriette. La Belle était aux abois lorsqu'elle entendit des branches craquer à quelques mètres d'elle. Une ombre glissa dans la mer.

C'était la Bête.

Ses bras heurtaient l'eau, sa tête disparaissait puis réaffleurait parmi les vagues. La Bête fonçait vers la barque qui menaçait d'être engloutie à tout moment. Maybel vit Henriette, puis Eugène sombrer dans l'eau. Presque aussitôt, la fille du notaire sentit une main sur son cou et Rioux eut l'impression qu'on lui arrachait les cheveux. La Bête s'acharna à leur maintenir la tête hors de l'eau jusqu'à ce que la mer les abandonne sur le rivage de l'anse de la rivière du Sud-Ouest. Alors qu'ils se relevaient, toussant et crachant, encore étourdis et apeurés, ils virent la Bête disparaître dans les feuillus.

Maybel retourna à la cabane, mais elle n'entra pas. Elle se sentait comme une intruse. Elle attendit donc sous la pluie, près de la flèche de sable, en reconstituant dans sa tête le fil des événements. William Grant était allé sur son île. Se croyant seul, il avait retiré son masque. Puis il avait découvert la présence de sa voisine. Alors il s'était terré, comme une bête. Pour ne pas semer la peur, pour ne pas révéler son visage.

Il avait dû hésiter avant de secourir le couple en détresse. Même s'il savait nager, l'entreprise était risquée et il ne portait sûrement pas Eugène et Henriette dans son cœur après ce que Maybel lui avait raconté. Surtout, il devait être mortifié à l'idée qu'ils puissent voir son visage.

Et, pourtant, il avait plongé.

La pluie avait cessé et les vents s'étaient apaisés, mais le ciel avait gardé la couleur des pierres et les nuages étaient encore lourds. La Belle avait honte d'être venue. Honte d'avoir forcé la Bête à se

cacher. Elle comprit qu'il valait mieux partir. Mais
avant de traverser jusqu'à l'autre rive, Maybel
trouva une grosse branche et traça lentement quelques lettres dans le sable :
PARDON.
En priant pour que le vent et la mer épargnent
son message, Maybel jura qu'elle ne chercherait
plus jamais à revoir la Bête sans sa permission.

Pendant des semaines, il n'y eut pas de fanion.
Et personne ne vit Oswald Grant au village. Un
domestique vint plusieurs fois au magasin, muni
d'une liste. Je remarquai qu'elle n'était pas écrite
de la même main que les précédentes et j'en parlai
à Maybel.
  – Le vieux est peut-être malade, alors son fils
doit rester à son chevet. Ça expliquerait tout, non ?
Et puis... la Bête n'est pas ton seul ami...
Maybel me regarda comme si j'avais dit quelque
chose d'insensé. Elle m'aimait de tout son cœur,
bien sûr, mais à ses yeux la Bête était unique.
L'automne s'était déjà installé quand la Bête noua
enfin l'écharpe rouge à une épinette. « Huitième
secret », murmura Maybel en ramant vers le
fanion. Ce jour-là, malgré la saison, le printemps
chantait en elle.
Dès que l'embarcation de Maybel toucha le
rivage, le fils de l'Écossais s'approcha et monta à
bord en repoussant la barque vers le large. Il prit
la place du rameur, Maybel s'installa devant. William Grant dut être touché par la joie qui rayonnait

sur le visage de Maybel. Était-ce bien lui qui avait allumé ce soleil ? Mû par une inspiration soudaine, il se pencha vers sa compagne.

– J'ai bien lu votre message, dit-il seulement.

Maybel remarqua, encore une fois, combien ses yeux étaient beaux.

Il visa le récif de l'Orignal. Ils s'arrêtèrent un peu plus loin, en pleine mer.

– Je ne promets rien, avertit-il. Il faudra peut-être revenir...

Et, effectivement, il ne se passa rien. Mais le vent était doux et la mer frémissait sous des caresses invisibles. Maybel était si heureuse qu'il ne soit pas fâché, si heureuse qu'il lui ait pardonné et qu'il ait à nouveau hissé le fanion qu'elle ne demandait rien de plus. Elle songeait aussi avec angoisse qu'à la dixième rencontre la Bête lui annoncerait peut-être la fin du jeu, la fin de leur amitié. Aussi l'idée de reprendre ce rendez-vous ne l'embêtait pas du tout.

Or, au moment où il allait saisir les rames pour la ramener au rivage, un dauphin fendit l'eau. Et puis un autre. Et un autre encore. Un deuxième clan surgit alors un peu plus loin. La Bête applaudit. Un large sourire se dessinait dans le trou du masque.

Les dauphins effectuèrent quelques sauts de reconnaissance avant d'amorcer leur extraordinaire ballet. Ils formèrent d'abord deux groupes bien distincts et s'éloignèrent l'un de l'autre. Puis, comme mus par un signal secret, ils foncèrent droit devant et au tout dernier moment, alors qu'une collision

144

semblait inévitable, ils bondirent dans les airs. Puis recommencèrent. Encore et encore.

Maybel n'avait jamais vu danser les dauphins. Le cœur battant, elle admira leurs prouesses, avec l'impression d'avoir pénétré au cœur d'un autre monde. Loin des Rioux. Loin des Turcotte. À mille lieues des rumeurs et des médisances. Infiniment plus près des étoiles d'Alban.

Sur le chemin du retour, le fils de l'Écossais annonça à Maybel qu'il irait bientôt nouer son écharpe un jour où le ciel serait un vrai déversoir. Il l'attendrait parmi les joncs, près du marais salé.

Maybel frémit à l'idée que ce serait la neuvième fois.

J'eus tout le temps d'épouser François Bouvier avant qu'un nouveau fanion apparaisse. Dès qu'elle m'entendit prononcer les paroles sacrées, ce « oui, je le veux » dont nous avions tant parlé, Maybel se mit à applaudir à tout rompre, ce qui n'eut pas lieu de plaire au curé. Béatrice était venue. J'acceptai sa présence comme un cadeau et, lorsque je le lui dis, elle me pressa affectueusement contre sa poitrine.

Guillaume dansa souvent avec Maybel ce jour-là. Peu de jeunes hommes osaient s'approcher de la jeune furie qui les avait si vertement sermonnés le soir de l'épluchette et mon frère en était bien aise. Il osait croire que Maybel lui réservait un statut à part. N'avait-il pas clairement affiché sa complicité en allant la reconduire ce soir-là ? La petite sauterelle de l'anse semblait se lier peu à peu d'amitié avec mon frère, mais je savais que Guillaume espérait beaucoup plus.

Alban avait maigri. Les propos qu'on avait colportés l'avaient affligé encore plus que le départ du Quêteux. Sa fille était son trésor, mais sa jumelle était sa meilleure moitié. Il l'aimait autant que lui-même et sans doute aurait-il renoncé à toutes les étoiles du ciel si quelqu'un lui avait promis en échange de rallumer le feu que Béatrice avait laissé s'éteindre quelque part en elle.

Il pleuvait effectivement à boire debout le jour où l'écharpe rouge fut à nouveau accrochée à la pointe aux Épinettes. Oswald Grant avait été malade, mais il avait recommencé à voyager depuis peu. Il avait investi des sommes importantes dans le commerce des peaux de loups-marins, ce qui expliquait ses fréquents déplacements.

Maybel hissait sa barque sur la grève déjà durcie par le froid lorsque la Bête sembla surgir de nulle part. Sans bruit. Il guida Maybel un peu plus loin vers une plage ceinturée de rochers. La Bête disparut alors sous un petit surplomb.

Maybel découvrit que le rocher se creusait pour former une sorte d'antichambre au plafond bas menant à une véritable grotte depuis laquelle on apercevait le rideau de pluie, le rivage et la mer. Les sons bondissaient sur le mur de roc, amplifiés par un jeu de résonances, si bien que le martèlement de la pluie semblait assourdissant. On aurait dit qu'il pleuvait jusque dans la grotte, qu'il pleuvait même sur toute la terre, et que l'écho de cette formidable averse perçait le roc, imprégnait la pierre.

— La grotte des fées... dit la Bête. C'est ainsi que je l'ai nommée.

Il alluma des chandelles fixées aux murs. La cire avait coulé sur les parois et des petites flaques durcies jonchaient le sol. La Bête venait souvent ici. La flamme des bougies dessinait des ombres mouvantes sur les murs, si bien que la grotte semblait hantée. Maybel gratifia son compagnon d'un sourire radieux. Le spectacle était magnifique, l'atmosphère magique. Maybel se laissa envahir par la grâce du moment, entièrement abandonnée à la pluie, tout en étant bien à l'abri dans cette grotte des fées.

— J'aime vos trésors, dit-elle au bout d'un long moment.

Maybel contemplait le masque de la Bête dont le cuir luisait au feu des bougies.

— J'aime vos trésors... et Dieu sait que je ne porte pas dans mon cœur tous les humains qu'il a inventés. Mais je n'arrive quand même pas à comprendre pourquoi vous acceptez de vivre toujours caché, loin du monde.

Par crainte de le froisser, elle ajouta aussitôt :

— C'est votre droit... C'est sûr ! Seulement, je trouve ça triste...

— Qu'est-ce que vous trouvez triste ? demanda-t-il.

Maybel réfléchit.

– Que vous soyez... si seul, répondit-elle.

La Bête éclata de rire. C'était un vrai rire, plein et franc.

– Non, la Belle, dit-il doucement. Je connais plus d'hommes et plus de femmes que vous n'en connaissez et que vous n'en connaîtrez jamais.

Maybel comprit qu'il parlait du passé.

– Vous vous trompez... Je parle de maintenant ! J'imagine bien que si vous avez vécu dans une grande ville dans votre pays d'Écosse pendant que moi, j'étais dans mon anse vous connaissez plus de monde que moi. Mais ce n'est pas ça...

– Non. Je vous comprends bien. Je parle d'ici, d'aujourd'hui, de maintenant.

Deux grands yeux mauves trouaient l'espace. La Bête eut un rire que Maybel adora.

– Ce matin, dit-il, j'ai rencontré un roi. Et hier, un prisonnier enfermé par erreur dans une prison maudite. La semaine dernière, j'ai entendu chanter des sirènes. Je connais un homme prêt à se battre contre des moulins à vent et j'ai déjà assisté à des combats sanglants, à des duels terrifiants, à des massacres hallucinants. Mais j'ai aussi vu des lutins courir dans la forêt à l'aube et j'ai épié des amoureux prêts à mourir l'un pour l'autre. Je sais qu'il existe une mer lointaine hantée par une baleine gigantesque qui a grugé le cœur d'un homme. Je sais également que je ne connais rien encore. Et qu'il ne me suffira sans doute pas d'une vie pour découvrir, en plus de la pluie, des escargots de mer, des hérons et des cormorans, des canards et des cerfs, des étoiles et des lunes, tous les personnages qui ont le pouvoir de vivre dans mon cœur et dans mon esprit.

La pluie crépitait toujours.

– Montrez-moi, supplia Maybel, fouettée par ces paroles.

– Bientôt, murmura la Bête.

La première neige tomba. Et puis une autre encore. Guillaume était amoureux de Maybel. Il ne le lui avait pas encore dit et il ne me l'avait pas confié non plus, mais c'était flagrant. Et le plus étrange, le plus fou, c'est que Maybel ne le soupçonnait même pas.

François était retourné au chantier. Au printemps, nous allions partir vers l'ouest. J'aurais voulu, avant de quitter ce pays où la mer commence, sentir que le bonheur de ma meilleure amie était mieux assuré. Guillaume était plein d'énergie et il avait le cœur bien accroché, mais Maybel représentait encore un mystère pour moi. Je me demandais comment elle réagirait si Guillaume se décidait à lui faire la grande demande. Je savais aussi que mon frère n'avait aucune idée de tous les secrets, toutes les surprises, toutes les tempêtes que dissimulait la frêle silhouette de Maybel. L'aimerait-il tout autant s'il osait s'aventurer plus loin, s'il acceptait de voir autre chose que son corps gracieux, son sourire enchanteur et ses yeux ensorcelants ?

À la troisième tempête, l'écharpe fut à nouveau

hissée. Maybel dut avancer dans une mer de flocons jusqu'à la pointe où le vent tordait les épinettes. C'était le dixième rendez-vous et Maybel ralentissait le pas en songeant que c'était peut-être le dernier.

Il l'attendait sous un arbre. Son masque humide et froid épousait mal les contours du visage, mais Maybel s'était habituée à ne pas trop y faire attention.

Ils longèrent la côte vers le cap Enragé, plongés dans le silence de ce début d'hiver, encore étonnés de ne plus entendre les cris des mouettes et des goélands. Des mésanges et des sittelles s'excitaient un peu à leur approche puis le rivage était à nouveau totalement livré au vent.

Maybel fut surprise lorsqu'ils dépassèrent le sentier menant vers l'île aux Plumes. La Bête se dirigeait vers le manoir. Maybel avait appris qu'Oswald Grant était parti en direction de Québec quelques jours plus tôt. Sachant qu'ils ne risquaient pas d'être surpris par l'Écossais, elle prit le temps d'admirer le paysage. Vu de l'anse aux Bouleaux, le cap Enragé semblait beaucoup moins redoutable. Ce n'était qu'une masse solide, protectrice et bienveillante. Vers l'ouest, un mur de falaises semblait vouloir décourager les passants à pousser jusqu'à la pointe aux Épinettes, là où, dix fois déjà, la Bête était allée nouer l'écharpe rouge qui avait appartenu à sa mère.

Ils atteignirent le manoir. La Bête se tourna vers sa compagne et, cette fois encore, Maybel crut déceler un sourire dans l'ouverture du masque. William Grant observait avec amusement sa voisine accoutrée comme toujours des vieux vêtements de son père.

– Maybel l'épouvantail..., murmura-t-il.

Il s'approcha lentement et, sans dire un mot, il déboutonna la veste qui avait appartenu à Alban et la chemise de grosse laine que Maybel portait dessous. Elle ressentit un trouble étrange. Comprenant que son déguisement n'était plus nécessaire, elle se débarrassa aussi du pantalon et de la corde qui lui servait de ceinture. Elle portait encore un châle sur sa robe bleue. La neige tombait toujours.

– Notre manoir est vaste et riche, mais moi, je le trouve triste et froid. Aujourd'hui, votre présence l'illuminera.

Maybel en fut soufflée. Jamais auparavant la Bête n'avait parlé de cette manière. Avec des mots graves et tendres. Qui la désignaient. Elle. La petite sauterelle de l'anse.

Elle suivit son hôte dans le manoir qu'Alban lui avait déjà décrit. Son père avait raison. Tout ici était différent. Tout ici était immense. Elle reconnut le long couloir au bout duquel Alban avait passé une nuit, mais William Grant prit plutôt vers la gauche. Deux domestiques les saluèrent en inclinant délicatement la tête. William leur parla en anglais. Il sembla à Maybel qu'ils n'étaient pas surpris de sa présence et qu'ils paraissaient même heureux de la voir.

Le fils de l'Écossais poussa une large porte et fit

entrer Maybel dans une pièce extraordinaire. Un vaste mur disparaissait sous des armes comme elle n'en avait jamais vu. Des fusils de toutes sortes mais aussi des dagues, des épées, des lances.

– J'ai toujours aimé la chasse, dit la Bête d'un ton énigmatique.

La Belle mit quelques secondes à comprendre qu'il se moquait d'elle. Cette étrange collection appartenait à Oswald Grant. Maybel frissonna en songeant à lui.

Deux autres murs étaient décorés de trophées. Des têtes empaillées de cerfs, de mouflons et d'antilopes, une dépouille de lynx et deux autres d'ours. Au centre trônait une hure redoutable, l'horrible tête d'un sanglier aux yeux exorbités, la gueule ouverte sur des crocs meurtriers. Maybel eut l'impression que toutes ces bêtes rivées au mur l'avertissaient d'un danger imminent. Elle découvrit aussi, sur une table basse, le petit renard roux à la patte déchiquetée qu'Oswald Grant avait lui-même naturalisé. L'animal semblait tenir debout par miracle et sa plaie faisait encore mal à voir.

La Bête remarqua que sa compagne n'était pas rassurée.

– Venez ! dit-il en lui tendant la main.

Il l'entraîna vers une porte qu'elle n'avait pas remarquée. La Belle avait cru que cette grande salle constituait la dernière pièce du château. Or, elle s'ouvrait sur une alcôve. Tous les murs y étaient tapissés de livres et le sol était jonché de coussins.

152

Une seule fenêtre, étroite et très haute, laissait pénétrer la lumière.

Maybel était ébahie. Après le vaste salon aux murs froids, cette petite bibliothèque secrète lui apparaissait comme un paradis de cuir, d'or et de papier. Elle ferma les yeux et inspira profondément parce que les livres avaient une odeur qu'elle ne connaissait pas. Du bout des doigts, elle caressa les reliures mystérieuses en songeant aux prisonniers, aux sirènes, aux amoureux éperdus, aux lutins et aux baleines que la Bête avait évoqués.

William Grant s'installa sur un coussin et en approcha un autre pour que la Belle s'installe près de lui.

— Vous voyez ? Je ne suis jamais seul ici. Ces murs sont remplis de magie et de rage. Ils disent toutes les passions. Et, au regard des hommes et des femmes qui peuplent ces pages, je n'ai rien de repoussant.

En l'écoutant, Maybel contemplait le masque de la Bête. Elle aurait pu, en étirant un peu le cou, glisser son regard dans la fente, sous le cuir, pour tenter de voir ce qu'il dissimulait. Il lui semblait qu'elle n'avait jamais été aussi près de la Bête. De toutes les senteurs de l'alcôve, c'est celle du masque, maintenant, qui dominait. La peau de cuir avait une odeur, bien différente de celle des livres. Une odeur de bête. Et d'homme aussi.

Dans cette grotte de mots et de papier qui lui apparaissait soudain comme le plus prodigieux de tous les trésors, la Belle avait plus que jamais envie de caresser du bout des doigts le visage de son compagnon. Elle aurait voulu, avant même que la Bête l'aide à découvrir toutes ces histoires fabuleuses et horribles, faire glisser le masque de cuir. La Bête se releva soudain et prit les mains de Maybel dans les siennes. Maybel leva les yeux vers son hôte. Il la fit lentement pivoter vers le mur de livres contre lequel ils s'étaient appuyés.

– Fermez les yeux, chuchota-t-il.

Maybel obéit. En gardant les mains de son invitée prisonnières des siennes, la Bête s'agenouilla derrière elle et pressa doucement les paumes de sa compagne sur les reliures de cuir.

– Choisissez un livre, souffla-t-il encore.

Les yeux fermés, Maybel sentait dans son cou l'haleine chaude de la Bête et, sous ses doigts, une mer de mondes possibles. Elle fut prise d'un merveilleux vertige.

– Vous les connaissez... et moi pas. Choisissez... Ouvrez-en un pour moi, murmura Maybel d'une voix que le désir rendait suppliante.

Ils entendirent alors des cris, des portes qui claquaient, un fracas d'objets brisés. Un courant glacé envahit leur petite pièce dont la porte était restée ouverte.

Oswald Grant était revenu plus tôt que prévu. Peut-être même avait-il uniquement fait semblant de partir afin de les épier.

William s'était relevé. Il pressa ardemment les mains de Maybel dans les siennes.

– Promettez-moi de ne pas bouger. Et n'ayez

pas peur ! Je vous en supplie..., dit-il avant de la quitter.

Maybel se blottit contre le mur de livres. Oswald Grant était dans la pièce à côté. Maybel ne pouvait le voir, mais elle l'entendait cracher des mots dans une langue à laquelle elle ne comprenait rien.

Une table fut renversée, puis des objets tombè-rent sur le sol, dans un bruit de métal qui s'entre-choque. Songeant à toutes ces armes, tout près, Maybel imagina le pire et, sans réfléchir à sa pro-messe, elle se précipita hors de la pièce.

Oswald Grant martelait le torse de son fils à coups de poing en hurlant des mots de rage. Plus haut et plus large que son père, William le fixait d'un regard impassible.

Soudain, William l'aperçut, elle. Une vive inquié-tude embrasa le regard de la Bête. Oswald Grant le remarqua. Il tourna la tête et découvrit la Belle.

– Je le savais, aboya-t-il en fonçant vers Maybel.

La Bête bondit dans la même direction et s'arrêta à mi-chemin entre son père et la Belle, fusillant cette dernière d'un regard lourd de reproches.

Secrètement, Maybel avait souvent espéré ce moment. Elle avait rêvé de pouvoir cracher sa colère à ce père cruel. Le traiter de bourreau et de geôlier, le forcer à grands coups de paroles à libérer son fils, à détruire cette Bête qu'il avait fabriquée de sa honte. Mais, dans cette pièce immense, devant son ami déçu, alors même qu'elle se sentait écrasée par la haine de l'Écossais, Maybel eut sou-dain l'impression d'être terriblement seule et sans moyens. Elle n'éprouvait pas tant la peur qu'un sentiment d'impuissance.

Oswald Grant respecta la distance imposée par son fils. Il scruta Maybel sans pitié, remarquant à peine ses yeux aussi mauves qu'un ciel d'août, tournés vers son fils, à la fois implorants et tristes. Mais il lut tout ce qu'il avait craint dans le regard de William. Et il en fut ravagé.

Son fils était amoureux ! C'est ce qu'il avait redouté, ce qu'il avait, plus que tout, tenté d'éviter. Parce que, à ses yeux c'était grotesque. Une femme ne pouvait aimer ce jeune homme défiguré. L'horreur et l'amour ne pouvaient être associés.

— Regardez-le ! ordonna-t-il à Maybel d'une voix blanche. Ses yeux parlent ! Lisez !

Oswald Grant semblait confronté à une vision atroce.

— Il vous aime ! hurla-t-il, terrifiant.

Maybel étouffa un cri.

— Il vous aime ! répéta l'Écossais. Comme un idiot. Comme votre père a aimé votre mère. La traînée ! L'allumeuse ! Et vous êtes pareille. Sauf qu'elle était assez idiote pour séduire un pauvre homme qui n'avait rien à offrir, alors que vous êtes beaucoup plus maligne...

Maybel sentit une brusque nausée l'étourdir. Son cœur cognait tellement fort qu'il enterrait presque les mots. Malgré tout, elle avait compris que la Bête l'aimait et, en fouillant dans l'eau noire de ses yeux, elle n'avait pas trouvé de démenti. Elle avait aussi entendu qu'on la comparait à sa mère et cela l'affolait parce que cette femme était comme un ouragan détruisant tout sur son passage. Elle avait saccagé le cœur d'Alban. Et le sien.

William Grant s'approcha. Il ne pouvait tolérer que Maybel souffre devant lui, mais il était impuissant à faire taire son père. Et il lui était impossible de nier qu'il aimait Maybel. Depuis la toute première fois qu'il avait aperçu cette petite fée aux yeux de la même couleur que la lavande qui pousse près des marais salés, depuis la toute première fois qu'il avait senti, comme un soleil sur sa peau, cette joie fabuleuse qui irradiait d'elle, William Grant savait qu'il l'aimait. C'était peut-être sa plus grande certitude.

Il s'était pourtant juré de ne jamais aimer une autre femme que sa mère. Elle seule l'avait aimé sans masque, mais c'était un miracle de la maternité. Il ne pouvait espérer autant d'une autre femme. William Grant s'était consolé en songeant qu'il y avait bien assez d'intrigues, heureuses et malheureuses, dans les pages reliées sous les couvertures de cuir. Et pourtant, c'était arrivé quand même. Depuis leur première rencontre, il était éperdument amoureux de la fille du gardien de phare de l'anse à Voilier.

Au début, il avait tenté de se convaincre que ça ne comptait pas vraiment. Parce que Maybel était si unique. C'était comme aimer une fée. Puis il avait inventé ce jeu. La course aux trésors. Dix rencontres. Il ne pouvait pas lui montrer son visage, mais il pouvait tenter de lui faire voir le monde avec ses yeux. Au fil de ces rendez-vous, il avait découvert qu'il ne pouvait plus imaginer sa vie sans elle. Alors il avait conçu cette dernière étape qui s'ouvrait sur un monde infini. Il lui lirait des pages et des pages. Dans la grotte des fées ou au bord du marais salé, parmi les nids de l'île comme en pleine mer, au pied du cap Enragé ou au bout du monde. Il n'y avait pas d'autres fins possibles. Leur histoire devait durer. Mais s'il ne voulait pas que la Belle se brise, s'il ne voulait pas que son cœur éclate, il devait la convaincre de ne pas écouter les paroles méprisables de son père. Plus tard, il l'inonderait de mots tendres et réparateurs.

À nouveau, la Bête lui tendait sa main. Maybel tremblait de tous ses membres. La fureur d'Oswald Grant l'effarait. L'Écossais vit qu'elle le regardait et il dut sentir qu'il avait prise sur elle. Il hésita un bref moment, mais une vague de panique le submergea presque aussitôt. Alors, ignorant son fils, il s'avança vers Maybel.

– Regardez-le ! lui lança-t-il d'une voix démente. Il vous aime ! Regardez-le encore ! Et dites-moi que vous l'aimez. Lui. La Bête. Dites-moi que vous n'avez pas tout fait pour le séduire simplement parce qu'il est assez riche pour acheter tout votre misérable village. Vous vous trompez ! La fortune dont il héritera est encore plus colossale que tout ce que vous avez pu imaginer. Alors, dites-moi, la Belle, que c'est bien le visage de mon fils et non sa fortune qui vous passionne.

Maybel se sentait dépassée par toute cette folie.

Elle n'avait jamais assisté à un tel déferlement de mépris, elle n'avait jamais imaginé autant de fiel dans le cœur d'un seul homme. Oswald Grant la terrifiait.

Alors même qu'elle tentait de comprendre son trouble, Maybel entendit l'Écossais hurler une dernière fois la même petite phrase obsédante.

– Regardez-le !

Elle leva les yeux vers la Bête. Oswald Grant tendit alors un bras vers son fils et, d'un geste brutal, arracha son masque.

Il n'y eut d'abord qu'un effroyable silence. Puis Maybel poussa un hurlement extraordinaire. Un cri qui semblait jaillir du ventre de l'océan ou de celui de la terre.

Elle avait vu le visage troué. La chair détruite. Le cratère à la place d'une joue. Le nez rongé par la poudre explosive.

Et c'était encore plus horrible qu'elle ne l'avait imaginé.

Mais, juste au-dessus, il y avait les yeux. Ces cercles immenses, d'une beauté foudroyante. Ce regard, désormais planté au-dessus des plaies, ne se contentait plus d'émouvoir, il inondait le visage. Il n'y avait plus que cette soie sombre, ce velours obscur, cette eau noire chatoyante.

La Bête avait reculé. Le cri de la Belle l'avait déchiré.

Maybel entendit le rire hystérique d'Oswald Grant. Et elle vit la Bête enfouir son visage dans ses mains.

– Partez ! cria la Bête d'une voix dure. Ne remettez jamais les pieds ici.

Maybel se sentit défaillir. Elle leva un bras pour prendre appui contre l'objet le plus proche et sentit la poigne d'Oswald Grant lui tordre le bras, la pousser hors de la pièce, la traîner dans le couloir et jusqu'à la porte du manoir qui se referma à grand bruit derrière elle.

Maybel arriva chez moi à la brunante, les yeux hagards, les lèvres bleuies par le froid, sa robe bleue et son simple châle couverts de neige.

C'est ma sœur Camille qui lui ouvrit la porte. La pauvre eut un mouvement de recul en apercevant cette petite femme hébétée qui semblait avoir été abandonnée par un tourbillon de neige. En reconnaissant Maybel, Camille imagina tout de suite qu'elle s'était égarée comme tant d'autres en pleine tempête.

Pourtant, Maybel n'avait même pas eu conscience du vent en rafales perçant son mince vêtement et de la neige glacée qui fouettait cruellement son visage. Elle avait avancé comme dans un mauvais rêve, insensible au reste du monde, entièrement occupée par la simple tâche de continuer sa route malgré la douleur, de mettre un pied devant l'autre, alors même que toutes les bêtes féroces de toutes les forêts du monde s'étaient glissées sous sa peau pour se disputer ses entrailles.

– T'as même pas de manteau ! s'étonna Camille. Qu'est-ce qui t'est arrivé ?

Maybel glissa sur le sol.

Guillaume la transporta jusqu'à ma chambre et, avec des gestes d'une douceur que je ne lui connaissais pas, il l'étendit sur mon lit. Puis il attela un cheval pour aller avertir Béatrice et Alban.

Maybel resta trois jours enfermée dans ma petite chambre, luttant contre de violentes fièvres et bien d'autres assaillants. Parfois, la nuit, elle criait comme si une légion de goélands la becquetaient vivante. Elle se redressait alors, mue par une énergie que l'angoisse seule semblait alimenter.

– Regardez-le ! Regardez-le ! répétait-elle, paniquée.

Elle refusait de manger. Béatrice venait tous les jours. Ensemble, nous arrivions tout juste à lui faire avaler quelques gorgées de bouillon. J'étais désespérée et Béatrice aussi. Papa insista pour faire venir le médecin. Il recommanda des cataplasmes de moutarde et des médaillons de camphre. Nous en avions déjà appliqué maintes fois. Sans succès.

Au quatrième jour, Alban vint remplacer Béatrice. Il avait compris que Maybel s'était fait ravir sa joie. Elle s'abîmait dans quelque repaire froid et sombre alors même qu'elle avait, plus que tout, besoin de lumière.

Alban contempla longuement sa fille. Elle semblait faible et sans ressort, le regard éteint. Il marcha jusqu'à la fenêtre et s'y appuya. Longtemps, il fouilla le ciel. Après, seulement, il parla.

– L'étoile Polaire est plus pâle ce soir. Et c'est comme ça depuis des nuits. J'ai idée que quelque part entre le cap aux Corbeaux et le cap à l'Orignal, il s'est passé quelque chose de tellement affreux que les étoiles elles-mêmes en prennent ombrage.

Béatrice et moi avions tenté d'apaiser Maybel en lui répétant que tout allait bien, espérant ainsi l'inciter à revenir parmi nous. Alban avait compris qu'il devait aller chercher sa fille là où elle était. Il lui fallait atteindre cette prison obscure où elle se terrait et, de là, creuser un tunnel jusqu'à la lumière. Il n'y avait pas d'autres façons.

– Pour que le ciel en fasse aussi grand cas, il a dû se passer quelque chose de vraiment atroce, hein ma fille ? Le genre d'affaire qui nous coupe le souffle, nous scie les jambes. J'ai vécu ça déjà. Je sais comment ça fait mal. On se réveille la cage défoncée, les poumons écrasés, le cœur tordu comme une vieille guenille. Pas vrai ?

Maybel s'était redressée pour mieux l'entendre. Elle buvait les paroles d'Alban comme un rescapé du désert avale une outre d'eau.

– On dirait qu'il n'y a rien pour calmer notre mal. On a l'impression d'être condamné à endurer. Et c'est horrible rien que d'y penser.

Alban fit une pause. Maybel attendait, tout oreilles.

– Il y en a pour qui ça s'arrête là. Mais il y en a d'autres qui tournent la tête vers le ciel. Par miracle. Ou par erreur. Ils ont les pieds dans la vase, l'impression d'être déjà à moitié enterrés, ils broient du noir à pleines pelletées et puis, soudain,

162

ils s'étirent le cou. Et c'est là qu'ils voient que le ciel, qui est aussi noir que la gueule du loup, est allumé d'étoiles. Des centaines, des milliers de petits yeux d'or qui clignent et qui brillent avec de temps en temps des étoiles folles déchirant le ciel d'un grand trait brillant.

Alban s'éloigna lentement de la fenêtre. Il ne s'assit même pas au chevet de sa fille. Avant de repartir, il s'arrêta seulement près d'elle et lui offrit un sourire rempli d'espoir.

– Il n'y a que toi qui peux décider, la Belle. Tu peux rester dans ton trou ou t'étirer le cou. Moi, je vais t'attendre dans l'anse.

Cette nuit-là, Maybel fut moins agitée. Le lendemain, elle but elle-même le bouillon que maman lui avait préparé et elle mangea du pain. Puis elle dormit encore. À son réveil, elle me raconta son dixième et dernier rendez-vous avec la Bête. Aujourd'hui encore, après toutes ces années, je me souviens de sa voix et de son regard à ce moment précis.

– Il a cru que j'étais dégoûtée..., me confia-t-elle. Que son visage m'épouvantait. Mais c'est pas vrai, Florence. Je te jure ! J'étais... comme hallucinée. Les cris de l'Écossais et toutes ses paroles cruelles m'avaient jetée à terre. J'ai été saisie quand il a arraché le masque. J'ai vu les trous, les déchirures. C'était terrible ! Mais, en même temps, c'était supportable. Parce que ce qui ressortait le plus, c'étaient les yeux. Imagine un ciel affreux et puis

soudain, un soleil au milieu. On ne voit plus que
le soleil.

Je ne compris pas tout de suite ce que la perte
de son étrange ami signifiait réellement pour
Maybel. Et je ne me doutais pas du ravage
qu'avaient causé les paroles d'Oswald Grant.
Maybel retourna dans l'anse et elle recommença à
participer aux travaux d'hiver. Pendant qu'Alban
coupait du bois et réparait ses outils, Béatrice et
Maybel filaient, tissaient, piquaient, tricotaient et
cuisinaient. Béatrice semblait résolue à regarder elle
aussi du côté des étoiles. À mon avis, elle n'avait
pas pardonné aux mauvaises langues d'avoir fait
fuir le Quêteux, mais pour aider sa nièce à
retrouver sa gaieté, elle accepta de l'accompagner
à quelques veillées.

Guillaume poursuivait Maybel de ses attentions.
Lors des repas du dimanche auxquels Maybel et
Alban étaient toujours invités, il tentait de la faire
rire ou de l'impressionner. Il se vantait d'avoir
abattu un loup-cervier et d'avoir perdu deux orteils
en ramenant au village, par un froid à fendre les
pierres, un homme blessé au chantier. Il s'organi-
sait pour faire valoir qu'il était déjà respecté des
autres hommes, au moulin comme au chantier,
malgré son jeune âge, et qu'il avait plus de respon-
sabilités qu'on ne pouvait le croire. Maybel l'écoutait poliment, apparemment insensible à tous ces
exploits, et je me demandais pendant combien de

temps encore Guillaume persisterait dans ses avances.

Un soir que les hommes foulaient la laine chez les Dubé en se réchauffant souvent le gosier pendant que les femmes assemblaient les morceaux d'une courtepointe dans la pièce à côté, Maybel aida gentiment Solange, la cadette des Dubé, qui n'avait pas six ans, à servir des galettes à la mélasse aux hommes.

– Si je m'écoutais, je prendrais toute l'assiette et plus encore..., hasarda mon frère Guillaume.

Les hommes éclatèrent de rire.

– Essaies-tu de nous dire que t'as le cœur qui pompe pour ma petite Solange, le jeune ? s'enquit Dubé d'un ton espiègle.

Les yeux tournés vers Maybel, leur aiguille en l'air, les femmes attendaient la réponse de Guillaume, contentes du tour que prenait la conversation.

– La petite Solange est belle comme un ange, répondit Guillaume en frottant la tête de la fillette.

D'une voix plus rauque, il ajouta, en regardant Maybel :

– Mais c'est la Belle de l'anse qui fait battre mon cœur plus vite.

Les hommes poussèrent des exclamations joyeuses.

– J'ai idée que ça va finir à l'église, ça ! prédit l'un d'eux.

Maybel était revenue s'asseoir avec les femmes.

– Regardez-la qui rougit ! lança Josette Dubé, taquine.

Tout le monde était conscient de l'importance de l'événement. Guillaume venait de se déclarer à Maybel devant tout le monde. J'observai attentivement mon amie. Elle déployait des efforts maladroits pour rester calme, mais il m'avait suffi d'un regard pour deviner qu'elle était aux abois.

Le silence de Maybel fut interprété comme un signe d'encouragement pour mon frère. La Belle n'ayant pas protesté, Guillaume pouvait non seulement continuer de l'aimer, mais espérer aussi atteindre un certain dénouement. Ce soir-là, Maybel devait dormir dans ma chambre. Béatrice n'ayant pu l'accompagner, il était impensable qu'elle voyage seule jusqu'à leur petite ferme en pleine nuit. J'avais espéré que mon amie m'ouvrirait son cœur, mais, sitôt couchée, elle fit semblant de dormir et je respectai son mutisme.

Cette même semaine, Henriette Dionne, la fille du notaire, partit précipitamment pour Québec. Une de ses tantes, mère de plusieurs enfants, aurait été gravement malade et Henriette acceptait de s'occuper des petits en attendant que sa parente soit rétablie.

– Ça pourrait prendre plusieurs mois, nous prévint la femme du notaire. Ma belle-sœur n'a jamais été forte. Elle est chanceuse d'avoir une nièce aussi bonne et courageuse. Ses enfants sont de vrais petits démons !

Sitôt Henriette partie, accompagnée de sa mère

« pour l'aider à bien prendre la maisonnée en main dès le premier jour », le fils Rioux arriva au magasin avec une tout autre histoire.

– Henriette est grosse, confia-t-il à un voisin sur un ton de confidence, mais assez fort pour que tous entendent. Et ses parents veulent pas qu'elle enfle devant tout le monde. Elle est allée se cacher à Québec en attendant de retrouver sa taille.

La nouvelle cloua le bec de tous ceux qui étaient là, jusqu'à ce qu'Émeline Bélanger ose ajouter d'une voix pleine de sous-entendus :

– C'est vrai qu'on n'avait jamais vraiment entendu parler de cette fameuse tante, à ce que je sache...

Encouragé, Eugène Rioux poursuivit son histoire. Il disait savoir qu'Henriette avait subi les assauts de la Bête un jour de tempête alors que sa barque avait été déportée dans l'anse aux Bouleaux. Rioux affirmait avoir lui-même raccompagné la pauvre fille jusque chez elle.

– Sa jupe était déchirée, ses cheveux tout dépeignés, et elle était dans tous ses états. Le fils de l'Écossais est un vrai sauvage. Une bête sans cœur et sans honneur. Moi, à la place du notaire, j'aurais porté plainte, mais sans doute qu'il voulait pas nuire à la réputation de sa fille.

J'étais profondément dégoûtée. J'aurais tellement voulu l'accuser, lui, Eugène Rioux, ce grand nigaud sans scrupule. Mais je ne pouvais rien dire sans trahir Maybel.

– Avec ce que tu colportes, Rioux, la réputation

d'Henriette va être drôlement maganée quand
même, osai-je malgré tout.

Il haussa les épaules en marmonnant :

– Tout finit par se savoir. J'ai seulement devancé
un brin… Ça peut éviter que d'autres pauvres filles
se fassent prendre dans les filets de la Bête. Peut-
être aussi que des hommes vont se décider enfin à
lui régler son compte à cette espèce de face pourrie.

– T'as raison pour une chose en tout cas, Eugène
Rioux, ajoutai-je. Tout finit toujours par se savoir,
comme tu dis…

Je m'étais promis de mettre Maybel au courant
de cette rumeur. J'attendais simplement le moment.
Dix jours plus tard, je n'avais pas encore trouvé
l'occasion. C'est alors qu'Oswald Grant s'arrêta au
magasin, au retour d'un voyage qui lui avait permis
d'établir de nouveaux liens avec des chasseurs de
loups-marins. Plus que jamais, son fils vivait caché,
mais lui-même était souvent en relation avec des
chasseurs, des pilotes, des marchands. C'est ainsi
qu'il eut vent de la faute qu'on attribuait à son fils.

L'Écossais alla s'asseoir près des tables où des
hommes se diputaient une partie de dames. Il sortit
une bouteille de whisky d'une poche de son manteau et offrit à boire. Nous étions à quelques
semaines de Noël, le carême était loin, aussi plusieurs acceptèrent avec plaisir le « petit remon-
tant ». Quand la bouteille revint à lui, Oswald
Grant en prit une bonne lampée, puis il s'éclaircit
la gorge avant de parler.

– Mon fils est laid, mais il n'est pas aveugle, lança-t-il avec rancœur. Il ne se serait jamais intéressé à la fille du notaire. S'il avait été à ce point désespéré, je lui aurais moi-même trouvé une femme pour quelques nuits. Une femme moins bête que cette pauvresse obligée de s'exiler à Québec parce qu'elle n'a pas encore compris comment on s'y prend pour avoir du plaisir sans faire des enfants.

Si le curé avait été témoin du discours d'Oswald Grant, il serait mort sur place. Nous étions tous sidérés. Les hommes avaient interrompu leur partie de dames, curieux de voir jusqu'où irait l'Écossais avec ses propos impudiques. Maman et moi étions les seules femmes présentes. L'envolée d'Oswald Grant nous avait coupé le souffle et enlevé tous nos moyens. Le diable lui-même n'aurait pas eu plus d'effet.

– Mon fils n'a rien à se reprocher, si ce n'est d'avoir failli se faire prendre dans les filets d'une allumeuse, poursuivit Oswald Grant d'une voix que la colère enflait. Mais je m'en suis mêlé. Il y a des femmes bien plus dangereuses que la fille du notaire... Elles reniflent les fortunes et rôdent jusqu'à ce qu'elles aient mis le grappin dessus. La fille de l'anse, celle dont la mère s'est sauvée avec le premier marin, a tout fait pour ensorceler mon fils. Mais je l'ai attrapée avant qu'il soit trop tard. Et si jamais je la vois encore renifler l'odeur de l'argent autour de mon héritier, je la descends plus vite qu'un loup-marin.

169

– Wo l'Écossais ! On se calme. C'est grave ce que vous dites là ! l'avertit un vieux pilote. Si jamais il arrivait quelque chose à la fille d'Alban, vous seriez bien mal pris après les menaces que vous venez de faire. On n'a pas à savoir ce qui est arrivé à Henriette Dionne. Son père a rien dit, ce qui fait que c'est pas de nos affaires. Et si la Belle a rôdé par chez vous, ça l'est pas davantage. Mais admettons que ça m'étonnerait... Elle a déjà un homme à ses pieds. Et elle aurait juste à lever le petit doigt pour en avoir beaucoup d'autres. Sans compter que si elle ressemble le moindrement à son père, c'est pas votre fortune qui va l'émouvoir.

– Vraiment ? rugit Oswald Grant. Alors je rêvais le jour où je l'ai trouvée enfermée dans un petit salon avec mon fils. Et mon plus fidèle domestique doit être bien perdu puisqu'il a fini par m'avouer que cette Maybel avait vu mon fils en secret pendant des mois à toutes sortes d'heures et dans toutes sortes de lieux.

Cette fois, les hommes furent ébranlés. Maman aussi. Ce soir-là, il me fallut déployer des trésors de persuasion pour obtenir la permission d'aller visiter Maybel dès le lendemain.

Je la trouvai sur la banquise devant leur ferme, assise sur un petit monticule de neige dure, emmitouflée dans plusieurs épaisseurs de laine, le regard perdu vers la mer glacée. Un léger sourire flottait sur ses lèvres. Je remarquai avec émotion que ça ne lui était pas arrivé souvent dernièrement. Depuis que Maybel avait été chassée du manoir par la

Bête, elle promenait un regard vide et semblait vivre en marge du monde. Plusieurs fois déjà, j'avais tenté de la faire parler pour l'aider à apprivoiser ce qui l'avait tant troublée là-bas et que je ne comprenais pas vraiment. Mais tous mes efforts avaient été vains, Maybel restait enfermée dans sa coquille. Et voilà qu'elle souriait. Enfin !

Je m'approchai doucement, soucieuse de ne pas briser le charme. Elle tourna lentement la tête vers moi.

– J'ai vu un grand oiseau qui ressemblait beaucoup à celui que la Bête nourrissait, dit-elle, rêveuse. Avais-tu remarqué, Florence, que les rapaces volent plus haut ? Ils planent, sûrs d'eux, les ailes grandes ouvertes, en se laissant porter par le vent. As-tu déjà rêvé que tu pouvais voler ? Moi oui. Souvent...

J'aurais tellement voulu lui parler d'oiseaux, de ciel et de vent. Au lieu, je lui racontai la rumeur que Rioux avait lancée à propos d'Henriette et de la Bête et comment l'Écossais l'avait attaquée, elle, en l'accusant d'en vouloir à son argent. Maybel écouta sans broncher. J'avais peur qu'elle ne se soit à nouveau réfugiée dans son coquillage, insensible au reste du monde, lorsque je remarquai la goutte sur sa lèvre. Elle n'avait rien dit et son visage était resté de glace, mais elle s'était mordue. Au sang.

J'essuyai sa lèvre du bout de mes gants.

– À quoi penses-tu, la Belle ? murmurai-je.

Elle me répondit, comme dans un rêve.

– L'Écossais me criait : Regardez-le ! Regardez-le ! Alors je l'ai regardé. Et j'ai lu dans ses yeux que c'était vrai. La Bête m'aimait. Comprends-tu, Florence ? Il m'aimait. Avant de me détester...

Elle s'arrêta, explora le ciel. J'avais craint qu'elle ne se taise tout à coup, alors même que j'avais tant espéré ces confidences. Pourtant, elle poursuivit :

– J'ai beaucoup réfléchi. Maintenant, je comprends mieux pourquoi William Grant accepte d'obéir à son père. Pourquoi il préfère vivre caché, malgré le masque qui dissimule son visage. Tu vois, Florence, il a dû travailler tellement fort pour atteindre une sorte d'équilibre, pour se forger un semblant de bonheur malgré le souvenir de tous les cris, de tous les regards horrifiés, de toutes les mines dégoûtées des gens qui ont posé un regard sur lui depuis l'accident. Lentement, patiemment, à force de génie et de courage, il a appris à ne pas se sentir seul parmi les bêtes, les astres, les plantes et tous les héros de ses livres. Avec eux, au moins, il était pareil à tous les humains. Il pouvait oublier les morsures sur son visage. Et j'ai tout détruit, ajouta-t-elle, la voix brisée.

J'allais protester, mais elle m'arrêta.

– En criant devant lui, je lui ai fait croire qu'il n'était qu'une bête repoussante et que même la plus belle amitié ne pouvait rien contre l'horreur qu'il inspirait. Je lui ai rappelé, bien cruellement, ce qu'il y avait sous son masque et qu'il avait trouvé tant de manières d'oublier jusqu'à ce que je vienne semer la pagaille dans sa vie.

J'appuyai ma tête sur son épaule et l'enlaçai doucement en souhaitant que cela lui apporte un peu de réconfort.

— Ma mère a fait pareil avec mon père. Semer la pagaille dans sa vie... Mais moi, j'ai compris. Je ne détruirai rien.

Quelque chose dans sa voix me donna des frissons. Maybel semblait s'être forcée à de redoutables serments. Je me demandais ce qui se cachait derrière cette promesse de ne plus jamais rien détruire.

Le dimanche suivant, après avoir longuement parlé de l'importance pour chacun de se préparer au mystère de la naissance de Jésus, le curé Guimond ajouta qu'à la veille des grandes réjouissances de Noël chacun devait plus que jamais faire preuve de vigilance, « surtout face aux jeunesses qui répandent le péché ».

— Combien d'entre vous saviez qu'une de nos paroissiennes voyait en secret un homme ? demanda-t-il en promenant un regard impitoyable sur l'assemblée. Un étranger en plus, au visage marqué par le diable ! Un jeune homme qui n'a jamais mis les pieds dans notre église. Et son père pas plus que lui. Et aucun de leurs domestiques. Pourtant, on peut se demander qui des deux est le plus à blâmer. L'homme en proie à ses désirs ou la femme qui les allume, ouvrant la voie à tous les péchés de la chair ?

Un silence terrible s'installa dans l'église, bientôt suivi d'un cortège de murmures d'approbation. Puis, forcément, les regards se tournèrent vers

Maybel et Alban. Maman était assise à côté de moi. Elle prit ma main, sans doute pour me signifier qu'elle n'approuvait pas les paroles du curé et qu'elle comprenait mon désarroi, mais aussi pour m'inciter à ne pas réagir.

Alban aussi avait glissé sa main dans celle de Maybel. Mais maintenant il se levait, arrachant des « Hon ! » et des « Ah ! » à l'assemblée. Il se levait et, la tête haute, le dos bien droit, il marchait vers l'allée centrale, faisait sa génuflexion devant l'autel, esquissait un signe de croix et quittait l'église sans dire un mot.

Maybel n'avait pas bougé. Elle avait subi les paroles du curé sans rien manifester, le corps raide, mais le regard vague. Et lorsque Alban s'était levé, elle ne l'avait pas suivi. Le père protestait, réfutant tous ces péchés, mais le silence de Maybel ressemblait fort, aux yeux de tous, à un aveu de culpabilité.

Je savais, moi, qu'elle était simplement brisée.

La veille de Noël, Guillaume fit sa demande à Maybel. Nous savions tous qu'il allait lui proposer de l'épouser ce soir-là, mais j'étais la seule, je crois, à tant redouter la réponse de Maybel. Papa et maman avaient été assez lucides et bons pour refuser de croire aux rumeurs sur la Belle... et la Bête. Car c'est maintenant ainsi qu'on désignait Maybel Collin et William Grant dans le cadre de cette légende toute neuve, enguirlandée de passions et de péchés. Malgré tout, mes parents étaient heureux à l'idée d'accueillir mon amie dans notre famille. Au fil des dernières saisons, ils avaient appris à l'apprécier et je crois même qu'ils l'aimaient profondément. Quant à mes frères et sœurs, ils l'adoraient et ils avaient aussi beaucoup d'affection pour Alban et Béatrice avec qui les conversations prenaient toujours des tours surprenants.

François était revenu des chantiers deux jours avant Noël et, depuis, j'avais le cœur en fête. À notre sortie de l'église, la nuit de Noël, la neige tombait à gros flocons. Les paroissiens avaient échangé des vœux sur le parvis de l'église encore plus longtemps que de coutume et de retour à la maison, les odeurs de viande, de tartes et de pâtés avaient fini de nous mettre en appétit. Maman avait beaucoup cuisiné et Béatrice avait contribué à plusieurs spécialités de son cru : de la tête fromagée très épicée, des tartes à la viande parfumées à la sarriette, des croquignoles trempées dans le sucre, du sirop de framboise et du vin de bleuet. Alban semblait avoir oublié les remontrances du curé et Béatrice ne paraissait même pas au courant tant sa bonne humeur était contagieuse. En réalité, ils mettaient tout leur talent, toute leur énergie à participer à la fête, espérant ainsi aider Maybel à retrouver sa joie.

Peu après le repas, je remarquai que Guillaume et Maybel avaient disparu. Je confiai à François mes craintes quant à l'issue de leur discussion. Il les balaya d'un baiser avant de m'entraîner vers la petite pièce derrière le magasin qui nous servait de chambre en attendant que nous nous installions dans l'Ouest.

– Tout de suite après la débâcle ! avait-il répété. J'avais tellement eu soif de lui pendant les longues semaines d'absence que cette perspective pourtant périlleuse ne me semblait porter que d'agréables promesses. J'en oubliais jusqu'à la peine que me causerait l'éloignement.

Le lendemain, avant même que Maybel ne s'éveille, Guillaume m'annonça qu'ils allaient s'épouser au printemps.

– Juste avant que ma sœur se sauve avec son beau François, dit-il en riant.

Je me demandai alors si Guillaume était conscient du deuil que Maybel vivait. La Belle tentait de survivre à la perte d'un ami extraordinaire. En plus, elle était ravagée par la peur et la culpabilité. Et elle était terrifiée à l'idée d'être comme sa mère. Tous les soleils en elle s'étaient éteints. Guillaume devrait les rallumer un à un.

Cette année-là encore, on ne célébra guère le mardi gras. Le redoux de janvier fut un des pires démolissements de saison de mémoire des vieux. Neige, pluie, gel. Et encore. En cette veille de carême encore ouverte aux réjouissances, les branches des arbres étaient recouvertes d'une épaisse couche de glace transparente. Le matin surtout, la forêt brillait de mille feux, si bien qu'on avait l'impression de s'être égarés au pays des fées. Mais les routes étaient impraticables, et la banquise, une vaste patinoire.

Guillaume et François étaient repartis ensemble au chantier. J'avais vu Guillaume embrasser Maybel et cela m'avait réconfortée. Il me semblait que ma belle amie s'égayait un peu en prévision du printemps. La perspective de s'unir à Guillaume semblait lui plaire.

J'appris d'un pilote qui chassait beaucoup durant l'hiver que l'Écossais s'inquiétait de la santé de son fils qui était souffrant. Oswald Grant avait déjà fait venir de Rimouski un médecin qui n'avait rien trouvé d'anormal dans le grand corps musclé de William. Le bon docteur demanda à son patient de retirer son masque, sans doute parce qu'il craignait quelque infection sous le cuir, mais l'Écossais s'y opposa avec une telle violence que le médecin se promit de ne plus jamais aborder le sujet. Il admit plus tard avoir été ému par le regard du jeune homme qu'il avait examiné.

Février fut marqué par un étrange événement. Un dimanche matin de beau temps, alors qu'Alban et Maybel se dirigeaient vers l'église de Sainte-Cécile, leur tombereau tiré par une vieille jument, deux chevaux paniqués foncèrent sur eux, près de la baie des Roses, les renversant au passage.

C'était l'attelage d'Oswald Grant. Deux pauvres bêtes fouettées par un homme qui ne se possédait plus. L'Écossais avait retiré les grelots de son attelage, si bien qu'Alban n'avait pas pu prévoir la rencontre. Oswald Grant avait attendu au bon détour, le bon jour, à la bonne heure. Il avait planifié une collision.

L'Écossais continua sa route alors même que le tombereau d'Alban gisait renversé et que sa jument roulait des yeux épouvantés. Elle saignait à un flanc, un lambeau de chair ayant été arraché par les parements de métal de la voiture d'Oswald Grant. Maybel aussi avait le visage en sang, la neige croûtée lui ayant râpé la peau. Et Alban était furieux. Jamais de sa vie il n'avait senti un telle rancœur en lui.

– Il aurait pu nous tuer ! C'est un fou dangereux, répétait-il en examinant le visage de sa fille.

Alban décida de conduire Maybel chez nous. Il fallait nettoyer son visage pour éviter l'infection et appliquer de la glace afin de prévenir les couleurs et l'enflure. Il voulait aussi panser sa jument. Après, il avait résolu d'affronter l'Écossais.

– Il y a des fois où il faut pas plier l'échine, affirmait-il. C'est une question de respect et de survie. Si on laisse l'Écossais agir au gré de ses humeurs, un jour, il va tuer.

D'une voix éteinte, il avait ajouté :

– Et ma fille pourrait bien être sa victime.

Mon père chargea un de mes jeunes frères de s'occuper du cheval pendant que maman et moi prenions soin de Maybel.

– Vous avez raison, monsieur Collin, dit papa. Oswald Grant est dangereux. Mais c'est pas le temps de mettre le feu aux poudres. Si vous allez là-bas tout seul, j'ai peur que vous ne reveniez pas.

Vaut mieux réunir quelques hommes et, ensemble, aller livrer un message clair. J'ai des amis à la forge à l'heure qu'il est. Venez ! On va leur parler.

Alban semblait abattu. La rage avait déjà déserté son cœur. Il se leva tranquillement et adressa un sourire triste à mon père.

– C'est bon, dit-il seulement.

Maybel repoussa les mains qui la soignaient. En deux secondes, elle fut devant mon père.

– Allez-y pas ! C'est dangereux ! Même si vous étiez dix, ça pourrait mal tourner. Il est armé... Dès que je serai marié à Guillaume, l'Écossais nous embêtera plus. Tout va s'arranger... Vous allez voir... C'est la seule solution. J'y ai beaucoup réfléchi...

Mon père observa attentivement Maybel.

– Tu m'as l'air d'en connaître long sur l'Écossais, dit-il d'un ton où perçait le reproche.

– Oui, monsieur, murmura Maybel sans quitter papa des yeux.

– Si Maybel est aussi sûre, on devrait attendre, décida Alban.

Guillaume fit parvenir à Maybel un simple billet sur lequel il avait griffonné : « Je pense souvent à toi. » C'était bien peu, mais Maybel en fut heureuse.

– Ton frère est gentil, me confia-t-elle ce dimanche-là alors que nous étions assises sur mon lit dans ma chambre de jeune fille. Et il m'aime...

179

ajouta-t-elle d'une toute petite voix où perçait la fierté.

Je pensais comprendre les sentiments de Maybel. Depuis des mois, elle et les siens étaient la cible de rumeurs disgracieuses. La forteresse de confiance et de joie qu'Alban et Béatrice avaient patiemment édifiée autour de Maybel avait été attaquée de toutes parts. Or, l'affection de Guillaume et ses menues attentions pour sa promise la réinstallaient dans un monde protégé et l'autorisaient à croire qu'elle était encore cette petite femme unique et précieuse qu'elle avait toujours été et qu'elle serait toujours.

J'osais à peine respirer. Maybel était de plus en plus avare de confidences alors même que je la sentais tourmentée par un secret. Si seulement elle pouvait s'ouvrir, si seulement elle parvenait à s'en libérer, peut-être redeviendrait-elle la petite saute-relle de l'anse débordante de gaieté.

– Juste avant Noël, j'ai réussi à convaincre Guillaume de venir avec moi s'asseoir au pied du cap à l'Orignal pour voir le soleil se coucher sur la rive d'en face, raconta soudain Maybel d'un ton si grave que cela m'inquiéta.

Elle attendit un peu avant de poursuivre :

– L'air était bon. Ça sentait la neige fraîche. Je n'avais jamais remarqué avant que la neige a une odeur...

Maybel me fouillait de ses yeux perçants, comme pour savoir si j'avais déjà constaté, moi aussi, que la neige avait une odeur. Et cela semblait très important tout à coup. Je parvins à sourire. Maybel continua :

– Au début, Guillaume n'a rien dit. C'était bon de regarder ensemble le soleil descendre tranquillement avec tous ces nuages autour. Des dragons, des voitures en feu, des oiseaux immenses avec des bois ou des trompes...

Elle eut un rire merveilleux.

– J'étais bien. Je pensais un peu à la Bête, c'est sûr, parce que la dernière fois que j'avais pris le temps de voir vraiment... de sentir le monde autour de moi, William était là. C'est lui qui m'a montré...

Il me sembla que sa voix avait tremblé. Mais peut-être l'avais-je imaginé.

– Malgré tout, j'étais heureuse que Guillaume soit là, à côté de moi. Et je suis heureuse parce qu'il m'a envoyé un mot, ajouta-t-elle comme si elle venait tout juste de s'en souvenir.

Elle n'avait pas tout dit.

– Êtes-vous restés longtemps... Guillaume et toi ? demandai-je un peu au hasard pour étirer la conversation.

Maybel ne réagit pas tout de suite. C'était comme si elle n'avait rien entendu. Finalement, elle leva vers moi des yeux de mer.

– Guillaume avait froid, dit-elle. Il était fatigué... On n'est pas restés assez longtemps pour voir le soleil tomber.

Papa et Alban attendaient le retour des hommes du chantier pour publier les bans, mais déjà, de

Saint-Fabien à Rimouski, tout le monde savait que la Belle de l'anse à Voilier était promise au fils du gérant de la compagnie Price. C'était dit sans malice avec pour seul sous-entendu que chacun y trouvait son compte. Guillaume mariait la plus belle femme de la côte et la fille de l'ancien gardien de phare épousait un homme promis à un bel avenir.

J'avais offert ma robe de noces à Maybel. C'était une belle parure en soie grège, ceinturée à la taille et ornée de plusieurs volants sur la poitrine et au bas du jupon. Pour que cette tenue soit bien la sienne et pour mettre en valeur la clarté de ses yeux, j'avais convaincu Maybel de m'aider à changer le ceinturon et les volants.

– Avec des garnitures bleues, on va leur en mettre plein la vue. La petite sauterelle de l'anse ? Non, messieurs-dames. Une fée !

À la mi-mars, ma mère m'annonça que Maybel avait reçu un paquet par la poste. Je le pris avec moi en attendant de le remettre à Maybel ce dimanche.

C'était un bon colis, assez lourd, carré, large de deux mains et aussi haut. Je l'avais remué un peu, par curiosité, mais sans parvenir à deviner ce qu'il contenait. Bien sûr, j'aurais surtout voulu savoir de qui il venait. L'expéditeur n'avait pas laissé de trace sur l'emballage. Il – ou elle – avait seulement écrit un nom, « Maybel Collin », suivi de « Sainte-Cécile ».

Maybel l'ouvrit devant moi. Il contenait des livres. *Contes de ma mère l'Oye*, *Les Mille et Une Nuits*,

La Véritable Histoire du chevalier Des Grieux et de Manon Lescaut et *Notre-Dame de Paris*. Maybel caressa lentement les reliures, tourna amoureusement les pages, enfouit sa tête dans le cuir et le papier.

Une larme mouilla la couverture des *Contes de ma mère l'Oye*. Maybel essuya prestement sa joue et souffla sur le cuir pour faire disparaître la tache sombre. Un billet s'échappa du livre. Maybel le déplia en tremblant.

Un mot. Six lettres.

« PARDON ».

Maybel plongea dans ces livres comme on se jette à l'eau, sans savoir jusqu'où l'emporterait le courant. C'étaient des livres comme ceux dont la Bête avait parlé. Des histoires de magie et d'horreur, d'amour et de trahisons, de génies et de monstres, de catastrophes et de féeries.

– Sans la Bête, je n'aurais jamais imaginé que tout ça existait vraiment, avec seulement des mots et du papier, me confia-t-elle, exaltée.

Elle découvrait un monde immense et insoupçonné. La Bête avait soigneusement choisi ces quatre livres. Maybel était subjuguée.

J'avais cru que ce nouvel épisode libérerait Maybel du poids qui l'écrasait. La Bête lui pardonnait. La page était tournée. Un jour, peut-être, ils pourraient à nouveau arpenter la plage. En toute amitié. J'imaginais bien un de mes jeunes frères les accompagnant discrètement pour que les bonnes mœurs soient respectées. Si Guillaume se montrait réticent, je trouverais les mots pour le persuader d'autoriser ces rencontres. Quelque part en moi, une petite voix me soufflait que c'était là l'unique sortilège capable de faire réapparaître la petite sauterelle de l'anse. Je savais que Maybel scrutait encore souvent la pointe aux Épinettes dans l'espoir d'y voir danser un fanion. Ses rendez-vous avec la Bête lui manquaient horriblement. En attendant qu'ils soient peut-être à nouveau possibles, Maybel me semblait plus que jamais soucieuse et grave.

Les hommes revinrent du chantier pendant que le pont de glace tenait toujours. Cette même semaine, la banquise creva avec des fracas de fin du monde. Deux jours après, l'eau était libre, toute la glace avait disparu comme par enchantement.

– Un printemps si soudain, ça n'arrive qu'une fois tous les vingt ans, me confia un vieux pilote à la retraite.

Trois dimanches d'affilée, on publia les bans annonçant l'union de Guillaume et Maybel. La dernière fois, je fus prise d'une impulsion idiote. Pendant quelques instants, je m'imaginai, me levant soudainement pour signaler un empêchement.

– Ma meilleure amie ne peut pas épouser mon frère, m'entendais-je annoncer comme dans un rêve. Elle garde un secret verrouillé dans son cœur depuis le début de l'hiver. Un secret qui la gruge et la ronge. C'est ça l'empêchement !

Heureusement, ou peut-être malheureusement, j'étais restée immobile et muette sur mon banc.

Comme toujours, il n'y eut pas d'empêchement.

Maybel me confia qu'elle aurait bien aimé arriver par la mer au matin du mariage. Accoster dans la baie des Roses et de là, tenant d'une main Béatrice et de l'autre Alban, marcher jusqu'à l'église où mon frère et nous tous les aurions attendus.

– J'aurais bien profité de ces quelques heures sur l'eau, dit-elle simplement.

Au lieu, il fut sagement convenu que la veille des noces, Maybel et Béatrice dormiraient chez nous. Guillaume irait chez un voisin pour respecter les convenances. Quant à Alban, il arriverait tôt le matin même, après avoir nourri les bêtes. Ainsi, le mauvais temps ne pourrait rien compromettre.

Trois jours avant les noces, une tempête atroce s'abattit sur toute la côte. C'était un bien étrange soubresaut d'hiver en ce début de mai. Des branches d'arbres s'envolèrent, des piquets de cèdre furent fauchés et aucun homme, aussi fort fût-il, ne parvint à marcher droit. Le vent glacé nous faisait dévier de notre route, il brisait, pliait, écrasait tout sur son passage, réaffirmant son pouvoir, réinstallant sa loi.

Puis le ciel creva dans un crépitement de grésil dur et froid. Et le vent enfla encore, nullement rassasié, toujours plus déchaîné. Cette nuit-là, la dernière pour Maybel dans l'anse, le vent siffla entre les poutres de leur maison, il fit claquer les bardeaux du toit et trembler les fenêtres. Les bêtes beuglaient dans l'étable. Étendue dans son petit lit, Maybel n'arrivait pas à fermer les yeux. Quelque part au loin, du côté de la pointe aux Épinettes, il lui semblait entendre les gémissements et les sanglots étouffés de la Bête. Comme si la Bête suffoquait, écrasée par un énorme chagrin. Maybel avait beau se persuader que tous ces bruits n'étaient attribuables qu'au vent, à chaque nouvelle plainte, elle sentait ses entrailles se tordre et une douleur diffuse irriguer tous ses membres.

À l'aube, seulement, Maybel s'endormit. Lorsque Guillaume vint la chercher à midi, il la trouva pâle et muette, encore recroquevillée dans son petit lit.

Maybel demanda à Guillaume de l'attendre pendant qu'elle faisait ses adieux à l'anse où elle était née et où elle ne dormirait sans doute plus jamais. En saluant les islets, le ciel, la mer, les crans, l'aubépine flétrie, les rubans d'algues mousseux et tous les oiseaux éparpillés, Maybel dut sans doute, une dernière fois, fouiller l'horizon de ses yeux de lavande au cas où une écharpe rouge nouée à la branche d'une épinette aurait claqué, battue par les vents.

La robe de soie grège désormais parée de bleu était suspendue à la porte de ma chambre de jeune fille. J'avais cédé mon lit à la Belle et choisi de dormir sur une paillasse à côté. Béatrice occupait la chambre derrière le magasin où François et moi nous étions déjà aimés plusieurs fois. J'avais tenu à rester tout près de Maybel en cette dernière nuit.

Depuis le milieu du jour, le ciel s'était apaisé. Les vents étaient retournés s'enfouir dans les crevasses secrètes de la terre. Finis les colères et les grands emportements. La soirée avait été douce, l'air presque tiède. Béatrice avait prédit un matin sombre suivi d'embellissements.

— Le soleil va finir par sortir, vous allez voir !

Cette même nuit, Maybel s'éveilla le cœur battant, l'esprit encore empêtré dans un rêve affreux. Dans les voiles gris de son sommeil, elle avait vu la Bête recroquevillée sur le sol dans une grotte sombre où flottaient des milliers de plumes d'eiders et autant de petites lettres noires arrachées aux pages des livres. Le regard fiévreux, le corps agité par la fièvre, la Bête agonisait.

J'entendis le cri de Maybel à son réveil, mais quelque part en moi une voix nouvelle me commanda de rester immobile, les yeux clos, comme si je n'avais rien entendu, rien deviné. Je sentais confusément que cette page d'histoire ne m'appartenait pas et qu'il ne fallait surtout pas que j'en modifie le cours.

Maybel se leva. Elle respirait par à-coups, avec des bruits rauques.

— Attendez-moi ! souffla-t-elle avant de quitter la chambre, comme si elle s'était adressée à un fantôme.

La lune était encore haute. La mer s'était laissé ensevelir sous un extraordinaire brouillard qui abolissait les islets et les caps, effaçait les baies et les anses.

— Je savais, aussi sûr que j'existais, que quelque

part parmi les bouleaux, les grands pins ou les épinettes, la Bête se mourait, me confia Maybel beaucoup plus tard.

Elle croyait, dur comme fer, que son ami était en danger. Et elle se sentait prête à tout pour le sauver.

Elle courut jusqu'à la mer, prit la première barque qu'elle trouva sur le rivage et disparut dans l'épaisseur de brume pendant que la marée montait.

Il n'y avait plus de repères, l'horizon avait disparu dans un brouillard laiteux tellement opaque que la barque heurtait des obstacles invisibles. Maybel rama d'abord avec ardeur, sûrement et efficacement. Tout son être, toute sa volonté étaient tendus vers cet unique but : sauver la Bête.

Les rames heurtaient la surface de l'eau avec des claquements sourds. Maybel avançait à la grâce de Dieu, tel un pilote aveugle, incapable de lire au large comme sur la côte, animée par une ferveur qui peu à peu, au fil de l'eau, s'enhardit de colère.

Pendant des mois, elle avait accepté que son bonheur ait fui. Écrasée par la culpabilité et la honte, elle s'était laissé déposséder de sa joie. Une petite bête sournoise, tapie dans quelque recoin obscur de son être, lui avait fait croire que son sort était mérité. Elle était coupable de la fuite de sa mère, coupable du cri qui avait dévasté la Bête, coupable de l'amour qu'elle avait allumé. Coupable de rire, de sauter, d'exister.

– NOOONN ! cria la Belle d'une voix qui semblait vouloir fendre le brouillard et déchirer l'aurore.

Était-ce le souffle tiède d'un vent lointain, les cris des goélands ou les lambeaux de lumière au fond du ciel trouble ? Maybel sentit quelque chose d'immense naître et gonfler en elle. Elle avait l'impression de vivre une saison nouvelle.

Les rames s'abattirent à une cadence accélérée. Malgré l'angoisse qui l'étreignait, malgré ce souvenir horrible de la Bête souffrante, Maybel se sentait délestée d'un poids énorme. Toute son énergie était maintenant libérée pour livrer bataille, pour arracher la Bête aux griffes de la mort.

Un fil ténu, invisible, la guidait vers William Grant. Maybel en était sûre. Elle avait confiance.

Au moment où elle reconnut le rivage de l'île, le fond de la barque grattait déjà la plage caillouteuse. En mettant pied à terre, Maybel découvrit qu'elle était habitée par une certitude. Une marée fabuleuse monta en elle.

Dans les profondeurs lumineuses de sa mémoire, elle revit la Bête, debout au milieu d'un replat, un oiseau de proie perché sur sa main. Puis le masque de cuir creusant doucement la forêt de plumes argentées.

Pendant qu'elle courait sur la plage, elle crut entendre claquer l'écharpe à la pointe aux Épinettes. Loin, par-delà le brouillard, lui parvint le bruissement des ailes de cormorans s'élevant enfin vers le ciel, puis le cri des loups-marins explosant

189

de joie et, encore, celui des dauphins bondissant sur le dos de la mer.

La cabane de l'île aux Plumes était déserte et il n'y avait pas de masque sur la table. Malgré tous les souvenirs, malgré sa promesse, Maybel n'avait pas honte d'être là. Elle se sentait désormais investie de tous les droits.

Alors qu'elle franchissait la flèche de sable pour atteindre l'anse aux Bouleaux, une silhouette apparut sur l'autre rive. Oswald Grant l'attendait parmi les herbes hautes enguirlandées de brume.

Elle avança jusqu'à cet homme qui l'avait terrifiée au point de bouleverser le cours de son existence et, le regard en feu, elle le défia. Sans trembler. Sa toute neuve et merveilleuse certitude la rendait invincible.

L'Écossais fixa sur Maybel un regard noir rongé par l'inquiétude. Toute colère semblait l'avoir abandonné.

– Je vous attendais depuis longtemps. J'ai même songé à aller vous chercher.

Ils avancèrent en hâte, leurs pas martelant le sol du sentier. Devant la porte du manoir, Maybel fut saisie d'un vertige. Un nouveau livre s'écrivait. Elle en était consciente. C'est parfaitement libre et pleinement consentante qu'elle avançait sur cette page, mais la décision était si soudaine, si énorme, que tout son être en était secoué, comme si, quelque part en elle, la terre avait tremblé.

Elle se tourna vers l'Écossais et lui annonça d'une voix que l'angoisse et la hâte tout à la fois agitaient :

– Vous aviez tort, monsieur Grant. J'aime votre fils. Avec ou sans masque. Et je le veux avec moi. Toujours. Vivant...

La Belle aimait la Bête. Cet extraordinaire secret l'avait presque asphyxiée avant de se révéler enfin, avant de se métamorphoser en cette fabuleuse certitude.

Elle le trouva recroquevillé sur le sol dans la minuscule bibliothèque derrière le salon. La sueur collait ses cheveux à ses tempes, mouillait son front de rosée, ourlait le cuir de son masque.

Maybel s'approcha en fermant la porte derrière elle.

Son corps était vaste, il semblait occuper tout l'espace. Ses yeux paraissaient immenses.

Elle s'agenouilla auprès de lui et prit une des grandes mains qui, dans cette même pièce, avait pressé sa paume sur le cuir des livres, l'invitant à sonder cet océan de mystères. Lentement, elle porta la main à ses lèvres.

Les doigts étaient froids. Maybel eut peur.

Alors elle approcha son visage des yeux noirs qui trouaient le masque et y plongea, fouillant l'obscurité pour réveiller une poussière de braise, l'ombre d'un éclat, le plus minuscule scintillement.

Le regard de la Bête était éteint. Un sifflement graveleux émanait de ses poumons. Sa chemise mouillée collait à ses côtes et l'étoffe de son pantalon moulait les muscles de ses cuisses et de ses jambes.

Elle aurait voulu parler, mais les mots s'étranglaient dans sa gorge. Une vague de panique la submergea. Maybel aspira une grande bouffée d'air, refusant de se laisser engloutir.

Elle caressa le cuir mince, laissa ses doigts fins couler dans la forêt de cheveux et défit les cordons du masque. Puis, avec des gestes d'une tendresse infinie, elle fit glisser le cuir, révélant le visage.

Sans hâte, sans peur, ses doigts explorèrent chaque repli, chacun des pauvres cratères, chaque griffure, chaque morsure. Et ils recommencèrent, plus habiles, plus légers, plus confiants, courant sur les joues, s'attardant à la commissure des lèvres, caressant doucement l'arête rongée du nez.

La Belle fouilla encore le regard de l'homme qu'elle aimait tant et qui, à ses yeux du moins, n'était plus une Bête. On aurait dit qu'une infime lueur tremblait au coin de l'œil.

Ses lèvres remplacèrent ses doigts. Elles effleurèrent en tremblant chaque particule de chair grugée, chaque parcelle de peau meurtrie, chacune des horribles cicatrices.

Maybel crut voir un faisceau lumineux glisser sur l'iris. C'était si peu, et, pourtant, elle en conçut un espoir géant.

Elle n'était plus la jeune fille éteinte, soumise, dépossédée. Elle était redevenue la sauterelle de l'anse, le feu follet, la sorcière et la fée. Un petit animal, encore un peu sauvage et tout à ses instincts, pétri d'amour, de désir et d'espoir.

— Je vous aime, murmura-t-elle d'une voix grave.

192

Je vous aime et je ne veux plus jamais vous quitter.
Nous allons inventer d'autres courses aux trésors et
voyager ensemble dans tous les livres du monde.
Je veux que vos songes se mêlent aux miens. Je
veux...

Maybel avait trop peur pour continuer. Il aurait
dû bouger. Prendre sa main dans la sienne.
Répondre à ses baisers. Et, pourtant, la Belle refusait de croire que ses désirs puissent échouer.

– Je veux que vous m'aimiez, souffla-t-elle dans
les cheveux de son ami. Avec vos yeux, vos lèvres,
vos mains... avec votre corps tout entier.

Des larmes roulaient sur les joues de Maybel.
Elle aussi s'était livrée. Sans masque. Sans pudeur.
Sans gêne.

Il n'y eut plus que le silence. On aurait dit que
des amoureux éperdus, des rois, des lutins et des
sirènes attendaient avec Maybel, le souffle sus-
pendu, qu'une histoire s'écrive.

– Je... vous... aime, murmura soudain la Bête
d'une voix à peine perceptible.

Ses paupières se refermèrent alors sous le poids
d'une fatigue énorme écrasant au passage une
larme qui glissa jusqu'à une crevasse près des lèvres.

Son visage était plus pâle qu'une lune d'hiver. Il
était trop tard.

Maybel comprit que la Bête s'était laissée mourir
de chagrin. Il lui restait encore tout juste assez de
force pour respirer. La lumière dans ses yeux
n'avait été qu'un mirage. La Bête allait la quitter.

Une rage sourde électrisa la Belle. Pendant un

long moment, elle resta immobile, comme pétrifiée, dévorant du regard l'homme qu'elle aimait. Puis, comme ces hérons qui s'envolent soudain, mus par un signal secret, elle fut debout d'un bond. Et presque aussitôt, la porte claqua derrière elle.

Elle avait connu un jeune homme fort et en santé. Pour tant dépérir, il avait dû imiter les eiders prisonniers de leurs nids.

Or, Maybel avait appris de son ami la Bête comment sauver les oiseaux trop faibles pour courir à la mer.

William Grant vivrait. Il n'était pas trop tard.

Depuis Montréal, déjà, depuis le commence-
ment du fleuve, le petit cahier était resté fermé sur
mes genoux. À Québec, j'étais sortie un moment,
aspirant de grandes gorgées d'air, le cahier collé
contre ma poitrine. Puis j'étais retournée à mon
siège et j'avais vu le fleuve s'élargir peu à peu jusqu'à ce que la rive nord disparaisse.

« William Grant vivrait. Il n'était pas trop tard. »
C'étaient les derniers mots. Toutes les autres pages
du cahier étaient vierges.

Je pensais au jeune instituteur qui m'avait mis le
cœur en bouillie. Étais-je bien sûre de l'aimer ?
Étais-je, comme ma marraine autrefois, réellement
habitée par une extraordinaire certitude ?

– Oui..., m'entendis-je murmurer.

Et, aussitôt, une autre question s'imposa. L'aurais-je aimé sans masque ? L'aurais-je aimé avec la
figure rongée, avec des crevasses et des cratères à
la place des joues ?

J'ouvris le sac de voyage à mes pieds et y glissai

le récit de mamie Florence. Puis, la tête appuyée contre la fenêtre, je me laissai bercer par le roulis du train et m'endormis bientôt en inventant une suite à l'histoire de la Belle et la Bête.

William Grant vivrait. Mais après ?

Au moment où j'émergeais de mes songes, le contrôleur annonça :

— Saint-Fabien !

Mon cœur bondit dans ma poitrine. J'attendis un peu avant d'ouvrir les yeux. Le train m'avait menée jusqu'au pays de Maybel, jusque-là où la mer commence. Je reconnus bientôt les caps et les islets qu'un ange vêtu d'un long manteau de soie bleue avait éparpillés à tous vents, creusant les baies, dessinant les anses.

Sous le ciel de mai, c'était encore plus beau que tout ce que j'avais imaginé.

— Sainte-Cécile ! Les passagers sont priés...

Dans ma hâte, je bousculai une dame âgée. M'excusai. Attendis que la vieille escargot se creuse un chemin jusqu'à la sortie.

Florence m'avait assuré qu'on m'attendrait à la gare. Mais elle n'avait pas dit qui. Et moi, l'idiote, tout à mes tourments, je n'avais rien demandé de plus.

À quoi ressemblait la Belle aujourd'hui ? Elle aurait l'âge de Florence... Une vieillarde !

Mais encore... Ses yeux étaient-ils vraiment de la même couleur que les miens ? Une vieille fée, cela semblait possible. Mais une vieille sauterelle ?

196

Et la Bête. Non... William Grant. Avait-il survécu ? Était-il encore vivant ?

Un jeune homme s'approcha.

– Marie Bouvier ?

J'acquiesçai.

Il paraissait mal à l'aise. Et accablé. Mais peut-
être était-il simplement timide.

– Moi, c'est Louis. Mon attelage est tout près.
Laissez-moi prendre vos bagages...

Je ne pus réprimer un sourire. Pour la première
fois de ma vie, j'étais ailleurs que dans mon petit
patelin trop plat. J'allais enfin rencontrer ma marraine, une femme secrète que j'avais crue sans histoire alors même qu'elle avait vécu la plus fabuleuse
aventure amoureuse qu'on puisse imaginer. Et voilà
qu'en plus un beau jeune homme s'occupait de
moi.

En voiture, Louis m'expliqua que son père était
propriétaire de l'auberge du village. C'est là que
j'allais dormir. Cela me surprit. J'avais cru que
j'irais m'installer chez ma marraine. Encore une
fois, je me trouvai bien idiote d'avoir posé si peu
de questions. Où vivait Maybel ? Au village ou dans
une anse ? Et avec qui ? Pourquoi diable m'étais-je
si peu intéressée à elle pendant toutes ces années ?
Et pourquoi ne m'avait-elle pas fait venir avant ?

Les rues de Sainte-Cécile étaient parfaitement
désertes. Je le mentionnai à mon compagnon.

– D'habitude, il y a plus d'activité, dit-il en se
tournant rapidement vers moi.

L'auberge était magnifique et ma chambre ravissante. Je me sentais comme une princesse dans son petit palais. J'avais même un laquais. Un beau jeune homme mélancolique.

– Je dois vous amener quelque part, avait-il expliqué avant de me laisser m'installer. Je pourrais revenir dans une heure. À moins que vous n'ayez besoin de plus de temps pour vous reposer...

J'éclatai de rire.

– Me reposer ! J'ai eu trois jours en train pour le faire. Non, non. Une heure, ça me va. Ou même moins... Je suis venue rencontrer ma marraine. J'ai très hâte. La connaissez-vous ?

– À tout à l'heure, dit-il seulement avant de disparaître.

Je l'attendais sous la véranda de l'auberge en contemplant la mer. C'était une vraie journée de printemps avec un soleil brûlant et des milliards de parfums nouveaux. Le village était tellement silencieux que, en tendant bien l'oreille, je pouvais entendre, au loin, la rumeur des oiseaux. À peine Louis fut-il descendu de voiture que je bondissais sur mes pieds et, oubliant toute retenue, je me précipitais vers lui.

Nos regards se croisèrent. Quelque chose trembla en moi. Il y avait une telle douleur dans ses yeux.

Je n'eus pas le courage de poser de questions. Il proposa que nous marchions.

– C'est tout près...

Il s'arrêta quelques rues plus loin devant une imposante maison de bois gris et bleu. En entrant, je vis tous ces gens. Ils étaient vraiment nombreux.

On aurait dit que tout le village était réuni dans ce rez-de-chaussée.

Louis me guida jusqu'à la pièce du fond. Les gens s'écartaient pour le laisser passer. Personne ne semblait surpris de ma présence. On aurait dit qu'ils savaient tous que Marie Bouvier, de Saint-Vital, au Manitoba, était arrivée par le train de deux heures. Et qu'elle se joindrait à eux.

À mesure que nous avancions, les voix se faisaient plus feutrées. Et ce n'était pas en réaction à la présence de Louis, ou à la mienne. Cette maison renfermait un secret vers lequel nous marchions.

Louis me fit entrer la première dans une chambre. Une femme était étendue sur le lit. Elle portait une longue robe de soie grège parée de bleu. Ses fins cheveux blancs disparaissaient dans la blancheur de l'oreiller. Un homme était agenouillé à son chevet.

Il semblait assez grand. Ses épaules étaient larges. Je ne pouvais pas voir son visage. Parce qu'il me tournait le dos.

Et parce qu'il portait un masque. Les cordonnets de cuir étaient noués sur sa nuque et sur ses cheveux gris, encore bouclés.

Un sanglot secoua les épaules. L'homme enfouit son visage dans la soie grège et ses mains, qui étaient encore belles, froissèrent le tissu, coururent sur les hanches, caressèrent les épaules. Puis ses doigts effleurèrent lentement le visage adoré et sa bouche s'approcha de la sienne.

Les deux têtes reposaient sur l'oreiller. Les deux

corps étaient immobiles. Une plainte étouffée s'échappa de la gorge de l'homme. Puis le cri se mua en gémissement.

Un couple vint vers lui. L'aida à se relever. William Grant obéissait sans s'en apercevoir. Il semblait totalement dépossédé. Complètement perdu.

Je m'approchai lentement de ma marraine. Ses paupières étaient closes. Je ne pouvais pas savoir si ses yeux étaient pareils aux miens.

Je pris sa main, cette main qui avait tremblé de désir lorsque la Bête l'avait pressée sur la reliure des livres, tremblé de désir en sentant l'haleine chaude dans son cou et le cuir du masque si près de sa peau.

J'approchai les doigts minces de mes lèvres. Ils étaient raides. Et froids.

Alors les astres s'immobilisèrent. Le soleil s'éteignit.

La Belle était morte. Je ne connaîtrais de ma marraine que le récit de Florence.

Je plongeai à mon tour dans l'océan de soie grège.

Ils me laissèrent pleurer. Puis des mains pressèrent doucement mes épaules.

Louis m'observait. Son chagrin paraissait immense.

Nous étions seuls dans la petite chambre.

– Qui êtes vous ? lui demandai-je.

Il garda son regard rivé au mien.

– Comment vous appelez-vous ? Dites-moi votre nom ! le suppliai-je.

– Louis Grant.

Louis avait quitté la petite pièce. Sa mère était venue. C'est elle qui m'avait reconduite à l'auberge.

– J'aurais souhaité vous rencontrer dans d'autres circonstances. Maybel, la mère de mon mari, était malade depuis des mois. Elle savait qu'elle allait mourir. Elle n'a pas souffert. Mon beau-père...

Une soudaine inquiétude l'ébranla.

– Vous saviez... que le père de mon mari porte un masque ? J'espère que ça ne vous a pas fait peur. Il a été défiguré lors d'un accident de chasse. Nous, on est habitués. Même qu'on oublie. C'est moins pire que ça en a l'air, vous savez...

Elle fit une pause avant de poursuivre :

– Mon beau-père est retourné à son antre... À l'île aux Amours.

Elle vit que je ne comprenais pas.

– Ils l'ont toujours appelé la Bête. Même après son mariage avec Maybel. L'île, par contre, a changé de nom. Avant, c'était l'île aux Plumes. À cause des nids d'eiders. C'est là que William et Maybel se sont donné rendez-vous la première fois. Un jour, si vous voulez, je vous raconterai... Enfin... ce que j'en sais. À cause d'eux... tout le monde savait qu'ils s'aimaient beaucoup... les gens ont rebaptisé l'île.

La mère de Louis semblait ignorer l'existence du petit cahier. Étais-je donc la seule, avec Florence, à connaître toute l'histoire ? Chacun des rendez-vous. Chaque étape de l'extraordinaire course aux trésors. Et la bibliothèque cachée, ce petit paradis de cuir et de papier...

Le soleil commençait tout juste à redescendre. J'avalai une soupe avant de monter à ma chambre. Épuisée. À peine m'étais-je coulée dans mon lit que je m'endormis.

À mon réveil, le soleil était encore assez haut. Je m'étais assoupie pendant une heure. Guère plus. J'avais rêvé, mais mes songes n'avaient pas laissé de traces dans ma mémoire.

Je savais seulement que je voulais voir la mer. Et l'île. Et l'anse.

Un employé de l'auberge accepta de me conduire jusqu'à la baie des Roses. Il reviendrait me chercher une heure plus tard.

La marée descendait. De gros blocs rocheux surgissaient de l'eau. Je me rappelai ce que Florence avait remarqué la première fois. Des roches qui bougeaient. C'est ainsi que j'aperçus mon premier loup-marin.

Je traversai le petit pont de la rivière du Sud-Ouest et longeai le rivage jusqu'à la flèche de sable menant à l'île aux Amours.

La mère de Louis avait dit que William Grant s'y terrait. J'imaginais le masque sur la table basse et les gémissements de la Bête, si poignants qu'ils vidaient le ciel de tout ce qui bouge.

Je continuai ma route. Plus tard, peut-être, William Grant accepterait de me rencontrer. Seule. Alors, je lui parlerais du cahier.

En empruntant le petit sentier liant les deux anses aux Bouleaux, j'imaginai ma marraine et la Bête traversant ces terres. Lui masqué, elle dans ses habits d'épouvantail.

Le manoir était toujours là. Et il semblait habité. Avait-il été vendu ou les Grant y vivaient-ils toujours ?

Devant moi, au loin, j'apercevais le cap à l'Orignal. L'anse à Voilier. Que restait-il de la ferme d'Alban ?

J'avançai vers la pointe aux Épinettes. La mer était basse. Le rivage parsemé de trésors. Reviendrais-je un jour contempler les escargots de mer, les étoiles et les oursins ?

Le ciel s'était assombri, l'attelage m'attendait sans doute déjà dans la baie des Roses et il me restait encore tout ce chemin à refaire. J'aurais dû repartir, mais, avant, je voulais pousser jusqu'au bout de la pointe aux Épinettes.

Chercher parmi les arbres.

Sitôt arrivée, je sentis le sang pulser dans mes veines, battre à mes tempes, irriguer tous mes membres.

Une écharpe rouge battait au vent.

Mon cœur cognait encore dans ma poitrine quand j'aperçus la voiture. J'avais bel et bien vu le fanion. Et, pourtant, il me semblait encore que c'était un mirage. Que l'étoffe rouge n'appartenait qu'au cahier de Florence.

Je mangeai seule à l'auberge. La mère de Louis m'avait laissé un message. Les funérailles auraient lieu le lendemain. Après, j'étais invitée à un repas au manoir « avec toute la famille ».

J'avais l'impression d'avoir presque oublié le jeune homme pour qui je m'étais sentie capable de mourir d'amour quelques jours plus tôt. Le cahier de Florence m'avait ouverte à un autre monde.

Sans doute n'avais-je encore jamais été habitée par cette délicieuse certitude que la Belle avait découverte en elle un matin de brume. Tout au plus avais-je ressenti un élan. Vif, intense, mais sans plus. Des désirs informes, des espoirs confus. Rien d'unique. Rien de partagé. Aucun secret. Aucune vérité nouvelle.

Tant pis. J'avais toute la vie.

À mon réveil, la pluie fouettait la fenêtre de ma chambre. Mais dans ma tête, un autre son résonnait encore. Celui d'une écharpe claquant au vent.

Pendant que les derniers lambeaux de rêve s'effilochaient quelque part en moi, j'imaginai la Bête, ce grand vieillard désormais si seul, longeant la rive, son fanion sous le bras. Avec des gestes sûrs, il nouait l'étoffe à une branche, serrant solidement le nœud pour que l'écharpe ne s'envole pas.

Pourquoi ?

Pourquoi l'écharpe claquait-elle au vent ? Était-elle là depuis longtemps ? Cela me semblait impossible. William Grant n'aurait pas laissé cet unique souvenir de sa mère livré pour rien aux intempéries.

Dans le cahier de Florence, il était écrit que, chaque fois que la Bête avait hissé ce signal, c'était pour donner rendez-vous à Maybel.

La vérité m'atteignit de plein fouet. Mon cœur parut s'arrêter de battre. C'était atroce. Affolant.

Pourquoi n'y avais-je pas songé plus tôt ? Étais-je la seule à avoir vu l'étoffe rouge ? La seule à savoir pourquoi elle avait été nouée dix fois déjà ?

À l'auberge, tout le monde dormait encore. Je courus jusqu'à la route. Arrêtai la première voiture.

L'homme me reconnut pour m'avoir vue la veille dans la maison gris et bleu. Je bafouillai une histoire à propos d'un souvenir perdu sur la grève.

— Mais la mer l'aura avalé, ma pauvre fille, protesta l'homme. Et puis regardez le temps qu'il fait. Vous êtes déjà toute trempée.

— C'était... un peu plus haut que la plage. Parmi les arbres... Il n'est peut-être pas trop tard... Amenez-moi jusqu'au marais salé. De là à la pointe aux Épinettes, il n'y a pas si loin... Je marcherai...

— De là, vous allez attraper votre coup de mort ! Vous m'avez l'air pas mal à l'envers. Attendez un peu que le village se réveille. Sûrement que quelqu'un ira avec vous.

Je ne savais plus quoi lui raconter. J'étais prête à faire toute la route à pied, jusqu'à la pointe aux Épinettes, malgré la pluie froide et les vents qui enflaient, mais j'avais tellement peur d'arriver trop tard.

L'homme m'examina.

— Allez ! Montez ! dit-il finalement.

J'avais le souffle court et les poumons en feu. Le sang battait à mes tempes. Deux fois, déjà, j'étais tombée en glissant sur une pierre.

J'avais couru presque tout le long, jusqu'à la pointe aux Épinettes. Mais le vent n'agitait que les branches. L'écharpe avait disparu.

Étais-je arrivée trop tard ? Non, c'était impossible.

Je découvris alors l'écharpe sur le sol, encore nouée à une branche. Pendant la nuit, la tempête avait fait des dégâts.

J'ai crié :

— Monsieur Grant ! Monsieur Grant !

Il n'y avait que la pluie qui fouettait les arbres, les roches, l'eau, la plage. J'étais seule à la pointe aux Épinettes, terrifiée à l'idée que la Bête ait hissé le fanion pour un dernier rendez-vous avec la Belle.

Je m'étais crue prête à mourir quelques jours plus tôt au nom d'une passion qui n'en était pas une. William Grant avait perdu ce qu'il avait de plus cher. Comment n'avaient-ils pas tous deviné qu'il voudrait mourir avec elle. Lui donner cet ultime rendez-vous.

Un éclair déchira le ciel. Je ne pouvais rester plantée sous les arbres alors que les grondements sourds du tonnerre roulaient au loin et que la foudre menaçait de s'abattre.

Je longeai le marais salé, la tête emplie de souvenirs. Les grands hérons. Les cormorans. La grotte des fées...

La grotte des fées !

Je courais à nouveau.

J'aurais dû y penser avant. La grotte... La Bête était peut-être là, terrée dans ce lieu magique en attendant que la vie l'abandonne.

Il étouffa un cri en m'apercevant.

Je devais avoir belle allure avec ma robe mouillée, couverte de sable et de petits coquillages, mes cheveux sales et défaits, mes bras pressant encore l'écharpe contre ma poitrine. Et cette peur atroce qui me vrillait les entrailles.

Son regard était si sombre. Pourtant, il m'ensoleillait.

– Où est-il ? demandai-je.

Étrangement, il comprit.

– Mon grand-père est resté sur l'île. Tout va bien...

– Mais alors... pourquoi ?

J'étais tout à la fois soulagée et perdue. En bafouillant, je lui parlai de l'écharpe et de la crainte épouvantable qui m'avait fait courir dans la tempête. Le sinistre rendez-vous que j'avais imaginé.

Il me fit asseoir, m'enveloppa d'une épaisse couverture. Sa voix aussi était chaude.

– Rassurez-vous ! Mon grand-père ne veut pas

mourir. Il a bien trop hâte de vous rencontrer. On lui a raconté que vos yeux étaient aussi beaux que ceux de la Belle. Lavande de mer et myosotis... Il ne sera pas déçu.

Sa main caressa la mienne et je ne fis rien pour l'en empêcher. C'était un geste d'amitié.

Qui, pourtant, me faisait trembler.

– J'aime bien marcher dans les anses et les marais autour d'ici, dit-il. Hier encore, je suis venu. William m'a raconté son histoire et celle de la Belle. Je sais presque tout. Vous aussi, n'est-ce pas ?

Je fis un signe de la tête. Mes joues étaient encore barbouillées de sable et de larmes. Il m'offrit un petit sourire triste, qui malgré tout m'incendia le cœur, et, du bout des doigts, il essuya mon visage.

– Hier, j'ai vu l'écharpe rouge accrochée à la pointe aux Épinettes, poursuivit-il. C'était la première fois... Je me suis senti attiré comme par un aimant. Pourtant, il n'y avait personne là-bas. Alors j'ai pensé à la grotte. J'ai dormi ici...

Son regard fouilla longuement le mien.

– J'attendais, dit-il encore. J'attendais... sans savoir qui ou quoi.

L'eau tremblait dans ses yeux.

– Maintenant je sais. C'est vous que j'attendais...

Plus tard, j'ai rencontré la Bête. Dans ma tête, je l'appellerai toujours ainsi. J'aime ce nom, ce mot. Cet être.

C'est lui qui avait hissé le fanion. Avec ce fol espoir que Louis viendrait. Et moi aussi. La Belle et la Bête avaient rêvé de notre rencontre. Louis était leur unique petit-fils. Moi, leur seule filleule. Alors ils avaient pensé que peut-être...

William Grant est décédé doucement dans son sommeil quelques années après le départ de Maybel. Cette même nuit, tu venais au monde.

Chaque jour, depuis, je remercie le ciel d'exister.

Avec Louis. Et avec toi.

Ma belle petite Albanie.

Remerciements

J'aimerais remercier tout particulièrement :
Pierre Collin qui m'a convaincue de visiter le parc du Bic et m'a guidée dans mes recherches ; Camil Langlois et Marlène Dionne qui m'ont fait découvrir les secrets du parc du Bic ainsi que toute l'équipe du parc pour sa collaboration.

Maurice Thibault qui a partagé avec moi ses souvenirs de gardien de phare et Frédérique Langlois ses petits bonheurs aux quatre saisons.

Mon père, Harold Demers, précieux chercheur et collaborateur ; ma belle-mère, Micheline Demers et mon compagnon, Michel Marcil, qui m'ont accompagnée tout au long de ce projet ; mon frère André qui m'a écoutée et encouragée.

Mes amies, Lucie Papineau et Linda Clermont qui m'ont prodigué de judicieux conseils ; Yolande Lavigueur, Diane et Karine Desruisseaux, Raymonde Beaudry, Julie Poulain et Danielle Vaillancourt qui m'ont lue avec autant d'attention que d'amitié.

Pauline Normand, qui m'a si gentiment servi de marraine, et Suzanne Vachon, de complice.

À tous, de tout cœur : Merci !

Composition réalisée par PCA
44400 Rezé